Marie von Ebner-Eschenbach

Krambambuli

und weitere Erzählungen

„Ein illoyaler Wilderer verkauft seinen treuen Jagdhund Krambambuli für ein paar Flaschen Brantwein an einen Jäger. Nur mit Mühe gewöhnt sich der Hund an seinen neuen Besitzer. Als der neue und der alte Besitzer eines Tages aufeinandertreffen, muss Krambambuli entscheiden, wem seine Treue gehört. Großartig erzählt von Marie von Ebner-Eschenbach." *Redaktion Gröls-Verlag* (Edition I Werke der Weltliteratur)

Redaktionelle Hinweise und Impressum

Das vorliegende Werk wurde zugunsten der Authentizität sehr zurückhaltend bearbeitet. So wurden etwa ursprüngliche Rechtschreibfehler regelmäßig *nicht* behoben, denn kleine Unvollkommenheiten machen das Buch – wie im Übrigen den Menschen – erst authentisch. Mitunter wurden jedoch zum Beispiel Absätze behutsam neu getrennt, um den Lesefluss zu erleichtern.

Wir sind bemüht, ein ansprechendes Produkt zu gestalten, welches angemessenen Ansprüchen an das Preis/Leistungsverhältnis und vernünftigen Qualitätserwartungen gerecht wird. Um die Texte zu rekonstruieren, werden antiquarische Bücher von leistungsfähigen Lesegeräten gescannt und dann durch eine Software lesbar gemacht. Der so entstandene Text wird von Menschen gegen eine Aufwandsentschädigung gegengelesen und korrigiert – Hierbei können gelegentlich Fehler auftreten. Wenn Sie ebenfalls antiquarische Texte einreichen möchten, wenden Sie sich für weitere Informationen gerne an

www.groels.de

Informieren Sie sich dort auch gerne über die anderen Werke aus unserer

Edition | Bedeutende Werke der Weltliteratur

Sie werden es mit 98,034 %iger Wahrscheinlichkeit nicht bereuen.

Die Deutsche Nationalbibliothek verzeichnet dieses Werk in der Deutschen Nationalbibliografie.

Verleger: Hermann-Josef Groels, Poelchaukamp 20, 22301 Hamburg.
Externer Dienstleister für Distribution und Herstellung: BoD, In de Tarpen 42, 22848 Norderstedt

Inhaltsverzeichnis

Krambambuli

Vorliebe empfindet der Mensch für allerlei Dinge und Wesen. *Liebe*, die echte, unvergängliche, die lernt er – wenn überhaupt – nur einmal kennen. So wenigstens meint der Herr Revierjäger Hopp. Wie viele Hunde hat er schon gehabt, und auch gern gehabt; aber lieb, was man sagt lieb und unvergeßlich, ist ihm nur einer gewesen – der Krambambuli. Er hatte ihn im Wirtshause zum Löwen in Wischau von einem vazierenden Forstgehilfen gekauft oder eigentlich eingetauscht. Gleich beim ersten Anblick des Hundes war er von der Zuneigung ergriffen worden, die dauern sollte bis zu seinem letzten Atemzuge. Dem Herrn des schönen Tieres, der am Tische vor einem geleerten Branntweingläschen saß und über den Wirt schimpfte, weil dieser kein zweites umsonst hergeben wollte, sah der Lump aus den Augen. Ein kleiner Kerl, noch jung und doch so fahl wie ein abgestorbener Baum, mit gelbem Haar und spärlichem gelbem Barte. Der Jägerrock, vermutlich ein Überrest aus der vergangenen Herrlichkeit des letzten Dienstes, trug die Spuren einer im nassen Straßengraben zugebrachten Nacht. Obwohl sich Hopp ungern in schlechte Gesellschaft begab, nahm er trotzdem Platz neben dem Burschen und begann sogleich ein Gespräch mit ihm. Da bekam er es denn bald heraus, daß der Nichtsnutz den Stutzen und die Jagdtasche dem Wirt bereits als Pfänder ausgeliefert hatte und daß er jetzt auch den Hund als solches hergeben möchte; der Wirt jedoch, der schmutzige Leuteschinder, wollte von einem Pfand, das gefüttert werden muß, nichts hören.

Herr Hopp sagte vorerst kein Wort von dem Wohlgefallen, das er an dem Hunde gefunden hatte, ließ aber eine Flasche von dem guten Danziger Kirschbranntwein bringen, den der Löwenwirt damals führte, und schenkte dem Vazierenden fleißig ein. – Nun, in einer Stunde war alles in Ordnung. Der Jäger gab zwölf Flaschen von demselben Getränke, bei dem der Handel geschlossen worden – der Vagabund gab den Hund. Zu seiner Ehre muß man gestehen: nicht leicht. Die Hände zitterten ihm so sehr, als er dem Tiere die Leine um den Hals legte, daß es schien, er werde mit dieser Manipulation nimmermehr zurechtkommen. Hopp wartete geduldig und bewunderte im stillen den trotz der schlechten Kondition, in der er sich befand, wundervollen Hund. Höchstens zwei Jahre mochte er alt sein, und in der Farbe glich er dem Lumpen, der ihn hergab; doch war die seine um ein paar Schattierungen dunkler. Auf der Stirn hatte er ein Abzeichen, einen weißen Strich, der rechts und links in kleine Linien auslief, in der Art wie die Nadeln an einem Tannenreis. Die Augen waren groß, schwarz, leuchtend, von tauklaren, lichtgelben Reiflein umsäumt, die Ohren hoch angesetzt, lang, makellos. Und makellos war alles an dem ganzen Hunde von der Klaue bis zu der feinen Witternase: die kräftige, geschmeidige Gestalt, das über jedes Lob erhabene Piedestal. Vier lebende Säulen, die auch den Körper eines Hirsches getragen hätten und nicht viel dicker waren als die Läufe eines Hasen. Beim heiligen Hubertus! dieses Geschöpf mußte einen Stammbaum haben, so alt und rein wie der eines deutschen Ordensritters.

Dem Jäger lachte das Herz im Leibe über den prächtigen Handel, den er gemacht hatte. Er stand nun auf, ergriff die Leine, die zu verknoten dem Vazierenden endlich gelungen war, und fragte: "Wie heißt er denn?" – "Er heißt wie das, wofür Ihr ihn kriegt: Krambambuli", lautete die Antwort. – "Gut, gut, Krambambuli! So komm! Wirst gehen? Vorwärts!" – Ja, er konnte lang rufen, pfeifen, zerren – der Hund gehorchte ihm nicht, wandte den Kopf dem zu, den er noch für seinen Herrn hielt, heulte, als dieser ihm zuschrie: "Marsch!" und den Befehl mit einem tüchtigen Fußtritt begleitete, suchte aber sich immer wieder an ihn heran zu drängen. Erst nach einem heißen Kampfe gelang es Herrn Hopp, die Besitzergreifung des Hundes zu vollziehen. Gebunden und geknebelt, mußte er zuletzt in einem Sacke auf die Schulter geladen und so bis in das mehrere Wegstunden entfernte Jägerhaus getragen werden.

Zwei volle Monate brauchte es, bevor Krambambuli, halb totgeprügelt, nach jedem Fluchtversuche mit dem Stachelhalsband an die Kette gelegt, endlich begriff, wohin er jetzt gehöre. Dann aber, als seine Unterwerfung vollständig geworden war, was für ein Hund wurde er da! Keine Zunge schildert, kein Wort ermißt die Höhe der Vollendung, die er erreichte, nicht nur in der Ausübung seines Berufes, sondern auch im täglichen Leben als eifriger Diener, guter Kamerad und treuer Freund und Hüter. "Dem fehlt nur die Sprache", heißt es von andern intelligenten Hunden – dem Krambambuli fehlte sie nicht; sein Herr zum mindesten pflog lange Unterredungen mit ihm. Die Frau des Revierjägers wurde ordentlich eifersüchtig auf den "Buli", wie sie ihn geringschätzig nannte. Manchmal machte sie ihrem Manne Vorwürfe. Sie hatte den ganzen Tag, in jeder Stunde, in der sie nicht aufräumte, wusch oder kochte, schweigend gestrickt. Am Abend, nach dem Essen, wenn sie wieder zu stricken begann, hätte sie gern eins dazu geplaudert.

"Weißt denn immer nur dem Buli was zu erzählen, Hopp, und mir nie? Du verlernst vor lauter Sprechen mit dem Vieh das Sprechen mit den Menschen."

Der Revierjäger gestand sich, daß etwas Wahres an der Sache sei; aber zu helfen wußte er nicht. Wovon hätte er mit seiner Alten reden sollen? Kinder hatten sie nie gehabt, eine Kuh durften sie nicht halten, und das zahme Geflügel interessiert einen Jäger im lebendigen Zustande gar nicht und im gebratenen nicht sehr. Für Kulturen aber und für Jagdgeschichten hatte wieder die Frau keinen Sinn. Hopp fand zuletzt einen Ausweg aus diesem Dilemma; statt *mit* dem Krambambuli sprach er *von* dem Krambambuli, von den Triumphen, die er allenthalben mit ihm feierte, von dem Neide, den sein Besitz erregte, von den lächerlich hohen Summen, die ihm für den Hund geboten wurden und die er verächtlich von der Hand wies.

Zwei Jahre waren vergangen, da erschien eines Tages die Gräfin, die Frau seines Brotherrn, im Hause des Jägers. Er wußte gleich, was der Besuch zu bedeuten hatte, und als die gute, schöne Dame begann: "Morgen, lieber Hopp, ist der Geburtstag des Grafen...", setzte er ruhig und schmunzelnd fort: "Und da möchten hochgräfliche Gnaden dem Herrn Grafen ein Geschenk machen und sind überzeugt, mit nichts anderm soviel Ehre einlegen zu können wie mit dem Krambambuli." – "Ja, ja, lieber Hopp." Die Gräfin errötete vor Vergnügen über dieses freundliche Entgegenkommen und sprach gleich von Dankbarkeit und bat, den Preis nur zu nennen, der für den Hund zu entrichten wäre. Der alte Fuchs von einem Revierjäger kicherte, tat sehr demütig und rückte auf einmal mit der Erklärung heraus.

"Hochgräfliche Gnaden! Wenn der Hund im Schlosse *bleibt*, nicht jede Leine zerbeißt, nicht jede Kette zerreißt, oder wenn er sie nicht zerreißen *kann*, sich bei den Versuchen, es zu tun, erwürgt, dann behalten ihn hochgräfliche Gnaden umsonst – dann ist er *mir* nichts mehr wert."

Die Probe wurde gemacht, aber zum Erwürgen kam es nicht; denn der Graf verlor früher die Freude an dem eigensinnigen Tiere. Vergeblich hatte man es durch Liebe zu gewinnen, mit Strenge zu bändigen gesucht. Er biß jeden, der sich ihm näherte, versagte das Futter und – viel hat der Hund eines Jägers ohnehin nicht zuzusetzen – kam ganz herunter. Nach einigen Wochen erhielt Hopp die Botschaft, er könne sich seinen Köter abholen. Als er eilends von der Erlaubnis Gebrauch machte und den Hund in seinem Zwinger aufsuchte, da gab's ein Wiedersehen unermeßlichen Jubels voll. Krambambuli erhob ein wahnsinniges Geheul, sprang an seinem Herrn empor, stemmte die Vorderpfoten auf dessen Brust und leckte die Freudentränen ab, die dem Alten über die Wangen liefen.

Am Abend dieses glücklichen Tages wanderten sie zusammen ins Wirtshaus. Der Jäger spielte Tarok mit dem Doktor und mit dem Verwalter, Krambambuli lag in der Ecke hinter seinem Herrn. Manchmal sah dieser sich nach ihm um, und der Hund, so tief er auch zu schlafen schien, begann augenblicklich mit dem Schwanze auf den Boden zu klopfen, als wollt er melden: "Präsent!" Und wenn Hopp, sich vergessend, recht wie einen Triumphgesang das Liedchen anstimmte: "Was macht denn mein Krambambuli?", richtete der Hund sich würde- und respektvoll auf, und seine hellen Augen antworteten:

"Es geht ihm gut!"

Um dieselbe Zeit trieb, nicht nur in den gräflichen Forsten, sondern in der ganzen Umgebung, eine Bande Wildschützen auf wahrhaft tolldreiste Art ihr Wesen. Der Anführer sollte ein verlottertes Subjekt sein. Den "Gelben" nannten ihn die Holzknechte, die ihn in irgendeiner übelberüchtigten Spelunke beim Branntwein trafen, die Heger, die ihm hie und da schon auf der Spur gewesen waren, ihm aber nie hatten beikommen können, und endlich die Kundschafter, deren er unter dem schlechten Gesindel in jedem Dorfe mehrere besaß.

Er war wohl der frechste Gesell, der jemals ehrlichen Jägersmännern etwas aufzulösen gab, mußte auch selbst vom Handwerk gewesen sein, sonst hätte er das Wild nicht mit solcher Sicherheit aufspüren und nicht so geschickt jeder Falle, die ihm gestellt wurde, ausweichen können.

Die Wild- und Waldschäden erreichten eine unerhörte Höhe, das Forstpersonal befand sich in grimmigster Aufregung. Da begab es sich nur zu oft, daß die kleinen Leute, die bei irgendeinem unbedeutenden Waldfrevel ertappt wurden, eine härtere Behandlung erlitten, als zu andrer Zeit geschehen wäre und als gerade zu rechtfertigen war. Große Erbitterung herrschte darüber in allen Ortschaften. Dem Oberförster, gegen den der Haß sich zunächst wandte, kamen gutgemeinte Warnungen in Menge zu. Die Raubschützen, hieß es, hätten einen Eid darauf geschworen, bei der ersten Gelegenheit exemplarische Rache an ihm zu nehmen. Er, ein rascher, kühner Mann, schlug das Gerede in den Wind und sorgte mehr denn je dafür, daß weit und breit kund werde, wie er seinen Untergebenen die rücksichtsloseste Strenge anbefohlen und für etwaige schlimme Folgen die Verantwortung selbst übernommen habe. Am häufigsten rief der Oberförster dem Revierjäger Hopp die scharfe Handhabung seiner Amtspflicht ins Gedächtnis und warf ihm zuweilen Mangel an "Schneid" vor, wozu freilich der Alte nur lächelte. Der Krambambuli aber, den er bei solcher Gelegenheit von oben herunter anblinzelte, gähnte laut und wegwerfend. Übel nahmen er und sein Herr dem Oberförster nichts. Der Oberförster war ja der Sohn des Unvergeßlichen, bei dem Hopp das edle Weidwerk erlernt, und Hopp hatte wieder ihn als kleinen Jungen in die Rudimente des Berufs eingeweiht. Die Plage, die er einst mit ihm gehabt, hielt er heute noch für eine Freude, war stolz auf den ehemaligen Zögling und liebte ihn trotz der rauhen Behandlung, die er so gut wie jeder andre von ihm erfuhr.

Eines Junimorgens traf er ihn eben wieder bei einer Exekution.

Es war im Lindenrondell, am Ende des herrschaftlichen Parks, der an den "Grafenwald" grenzte, und in der Nähe der Kulturen, die der Oberförster am liebsten mit Pulverminen umgeben hätte. Die Linden standen just in schönster Blüte, und über diese hatte ein Dutzend kleiner Jungen sich hergemacht. Wie Eichkätzchen krochen sie auf den Ästen der herrlichen Bäume herum, brachen alle Zweige, die sie erwischen konnten, ab und warfen sie zur Erde. Zwei Weiber lasen die Zweige hastig auf und stopften sie in Körbe, die schon mehr als zur Hälfte mit dem duftenden Raub gefüllt waren. Der Oberförster raste in unermeßlicher Wut. Er ließ durch seine Heger die Buben nur so von den Bäumen schütteln, unbekümmert um die Höhe, aus der sie fielen. Während sie wimmernd und schreiend um seine Füße krochen, der eine mit zerschundenem Gesicht, der andere mit ausgerenktem Arm, ein dritter mit gebrochenem Bein, zerbläute er eigenhändig die beiden Weiber. In einer von ihnen erkannte Hopp die leichtfertige Dirne, die das Gerücht als die Geliebte des "Gelben" bezeichnete. Und als die Körbe und Tücher der Weiber und die Hüte der Buben in Pfand genommen wurden und Hopp den Auftrag bekam, sie aufs Gericht zu bringen, konnte er sich eines schlimmen Vorgefühls nicht erwehren.

Der Befehl, den ihm damals der Oberförster zurief, wild wie ein Teufel in der Hölle und wie ein solcher umringt von jammernden und gepeinigten Sündern, ist der letzte gewesen, den der Revierjäger im Leben von ihm erhalten hat. Eine Woche später traf er ihn wieder im Lindenrondell – tot. Aus dem Zustande, in dem die Leiche sich befand, war zu ersehen, daß sie hierher, und zwar durch Sumpf und Geröll, geschleppt worden war, um an dieser Stelle aufgebahrt zu werden. Der Oberförster lag auf abgehauenen Zweigen, die Stirn mit einem dichten Kranz aus Lindenblüten umflochten, einen ebensolchen als Bandelier um die Brust gewunden. Sein Hut stand neben ihm, mit Lindenblüten gefüllt. Auch die Jagdtasche hatte der Mörder ihm gelassen, nur die Patronen herausgenommen und statt ihrer Lindenblüten hineingesteckt. Der schöne Hinterlader des Oberförsters fehlte und war durch einen elenden Schießprügel ersetzt. Als man später die Kugel, die seinen Tod verursacht hatte, in der Brust des Ermordeten fand, zeigte es sich, daß sie genau in den Lauf dieses Schießprügels paßte, der dem Förster gleichsam zum Hohne über die Schulter gelegt worden war. Hopp stand beim Anblick der entstellten Leiche regungslos vor Entsetzen. Er hätte keinen Finger heben können, und auch das Gehirn war ihm wie gelähmt; er starrte nur und starrte und dachte anfangs gar nichts, und erst nach einer Weile brachte er es zu einer Beobachtung, einer stummen Frage: – "Was hat denn der Hund?"

Krambambuli beschnüffelt den toten Mann, läuft wie nicht gescheit um ihn herum, die Nase immer am Boden. Einmal winselt er, einmal stößt er einen schrillen Freudenschrei aus, macht ein paar Sätze, bellt, und es ist gerade so, als erwache in ihm eine längst erstorbene Erinnerung...

"Herein", ruft Hopp, "da herein!" Und Krambambuli gehorcht, sieht aber seinen Herrn in allerhöchster Aufregung an und – wie der Jäger sich aus-zudrücken pflegte – *sagt* ihm: "Ich bitte dich um alles in der Welt, siehst du denn nichts? Riechst du denn nichts?... O lieber Herr, schau doch! riech doch! O Herr, komm! Daher komm!..." Und tupft mit der Schnauze an des Jägers Knie und schleicht, sich oft umsehend, als frage er: "Folgst du mir?", zu der Leiche zurück und fängt an, das schwere Gewehr zu heben und zu schieben und ins Maul zu fassen, in der offenbaren Absicht, es zu appor-tieren.

Dem Jäger läuft ein Schauer über den Rücken, und allerlei Vermutungen dämmern in ihm auf. Weil das Spintisieren aber nicht seine Sache ist, es ihm auch nicht zukommt, der Obrigkeit Lichter aufzustecken, sondern vielmehr den gräßlichen Fund, den er getan hat, unberührt zu lassen und seiner Wege – das heißt in dem Fall recte zu Gericht – zu gehen, so tut er denn einfach, was ihm zukommt. Nachdem es geschehen und alle Förm-lichkeiten, die das Gesetz bei solchen Katastrophen vorschreibt, erfüllt, der ganze Tag und auch ein Stück der Nacht darüber hingegangen sind, nimmt Hopp, ehe er schlafen geht, noch seinen Hund vor.

"Mein Hund", spricht er, "jetzt ist die Gendarmerie auf den Beinen, jetzt gibt's Streifereien ohne Ende. Wollen wir es andern überlassen, den Schuft, der unsern Oberförster erschossen hat, wegzuputzen aus der Welt? – Mein Hund kennt den niederträchtigen Strolch, kennt ihn, ja, ja! Aber das braucht niemand zu wissen, das habe ich nicht ausgesagt... Ich, hoho!... Ich werd meinen Hund hineinbringen in die Geschichte... Das könnt mir einfallen!" Er beugte sich über Krambambuli, der zwischen seinen ausge-spreizten Knien saß, drückte die Wange an den Kopf des Tieres und nahm seine dankbaren Liebkosungen in Empfang. Dabei summte er: "Was macht denn mein Krambambuli?", bis der Schlaf ihn übermannte.

Seelenkundige haben den geheinmisvollen Drang zu erklären gesucht, der manchen Verbrecher stets wieder an den Schauplatz seiner Untat zurückjagt. Hopp wußte von diesen gelehrten Ausführungen nichts, strich aber dennoch ruh- und rastlos mit seinem Hunde in der Nähe des Lindenrondells herum.

Am zehnten Tage nach dem Tode des Oberförsters hatte er zum erstenmal ein paar Stunden lang an etwas andres gedacht als an seine Rache und sich im "Grafenwald" mit dem Bezeichnen der Bäume beschäftigt, die beim nächsten Schlag ausgenommen werden sollten. Wie er nun mit seiner Arbeit fertig ist, hängt er die Flinte wieder um und schlägt den kürzesten Weg ein, quer durch den Wald gegen die Kulturen in der Nähe des Lindenrondells. Im Augenblick, in dem er auf den Fußsteig treten will, der längs des Buchenzaunes läuft, ist ihm, als höre er etwas im Laube rascheln. Gleich darauf herrscht jedoch tiefe Stille, tiefe, anhaltende Stille. Fast hätte er gemeint, es sei nichts Bemerkenswertes gewesen, wenn nicht der Hund so merkwürdig dreingeschaut hätte. Der stand mit gesträubtem Haar, den Hals vorgestreckt, den Schwanz aufrecht, und glotzte eine Stelle des Zaunes an. Oho! dachte Hopp, wart, Kerl, wenn du's bist! Trat hinter einen Baum und spannte den Hahn seiner Flinte. Wie rasend pochte ihm das Herz, und der ohnehin kurze Atem wollte ihm völlig versagen, als jetzt plötzlich – Gottes Wunder! – durch den Zaun der "Gelbe" auf den Fußsteig trat. Zwei junge Hasen hingen an seiner Weidtasche, und auf seiner Schulter, am wohlbekannten Juchtenriemen, der Hinterlader des Oberförsters. Nun wär's eine Passion gewesen, den Racker niederzubrennen aus sicherem Hinterhalt.

Aber nicht einmal auf den schlechtesten Kerl schießt der Jäger Hopp, ohne ihn angerufen zu haben. Mit einem Satze springt er hinter dem Baum hervor und auf den Fußsteig und schreit: "Gib dich, Vermaledeiter!" Und als der Wildschütz zur Antwort den Hinterlader von der Schulter reißt, gibt der Jäger Feuer... All ihr Heiligen – ein sauberes Feuer! Die Flinte knackst, anstatt zu knallen. Sie hat zu lang mit aufgesetzter Kapsel im feuchten Wald am Baum gelehnt – sie versagt. Gute Nacht, so sieht das Sterben aus, denkt der Alte. Doch nein – er ist heil, sein Hut nur fliegt, von Schroten durchlöchert, ins Gras. Der andre hat auch kein Glück; das war der letzte Schuß in seinem Gewehr, und zum nächsten zieht er eben erst die Patrone aus der Tasche...

"Pack an!" ruft Hopp seinem Hunde heiser zu: "Pack an!" Und:

"Herein, zu mir! Herein, Krambambuli!" lockt es drüben mit zärtlicher, liebevoller – ach, mit altbekannter Stimme...

Der Hund aber –

Was sich nun begab, begab sich viel rascher, als man es erzählen kann.

Krambambuli hatte seinen ersten Herrn erkannt und rannte auf ihn zu, bis – in die Mitte des Weges. Da pfeift Hopp, und der Hund macht kehrt, der "Gelbe" pfeift, und der Hund macht wieder kehrt und windet sich in Verzweiflung auf einem Fleck, in gleicher Distanz von dem Jäger wie von dem Wildschützen, zugleich hingerissen und gebannt...

Zuletzt hat das arme Tier den trostlos unnötigen Kampf aufgegeben und seinen Zweifeln ein Ende gemacht, aber nicht seiner Qual. Bellend, heulend, den Bauch am Boden, den Körper gespannt wie eine Sehne, den Kopf emporgehoben, als riefe es den Himmel zum Zeugen seines Seelenschmerzes an, kriecht es – seinem ersten Herrn zu.

Bei dem Anblick wird Hopp von Blutdurst gepackt. Mit zitternden Fingern hat er die neue Kapsel aufgesetzt – mit ruhiger Sicherheit legt er an. Auch der "Gelbe" hat den Lauf wieder auf ihn gerichtet. Diesmal gilt's! Das wissen die beiden, die einander auf dem Korn haben, und was auch in ihnen vorgehen möge, sie zielen so ruhig wie ein paar gemalte Schützen. Zwei Schüsse fallen. Der Jäger trifft, der Wildschütze fehlt.

Warum? Weil er – vom Hunde mit stürmischer Liebkosung angesprungen – gezuckt hat im Augenblick des Losdrückens. "Bestie!" zischt er noch, stürzt rücklings hin und rührt sich nicht mehr.

Der ihn gerichtet, kommt langsam herangeschritten. Du hast genug, denkt er, um jedes Schrotkorn wär's schad bei dir. Trotzdem stellt er die Flinte auf den Boden und lädt von neuem. Der Hund sitzt aufrecht vor ihm, läßt die Zunge heraushängen, keucht kurz und laut und sieht ihm zu. Und als der Jäger fertig ist und die Flinte wieder zur Hand nimmt, halten sie ein

Gespräch, von dem kein Zeuge ein Wort vernommen hätte, wenn es auch statt eines toten ein lebendiger gewesen wäre.

"Weißt du, für wen *das* Blei gehört?"

"Ich kann es mir denken."

"Deserteur, Kalfakter, pflicht- und treuvergessene Kanaille!"

"Ja, Herr, jawohl."

"Du warst meine Freude. Jetzt ist's vorbei. Ich habe keine Freude mehr an dir."

"Begreiflich, Herr", und Krambambuli legte sich hin, drückte den Kopf auf die ausgestreckten Vorderpfoten und sah den Jäger an. Ja, hätte das verdammte Vieh ihn nur nicht angesehen! Da würde er ein rasches Ende gemacht und sich und dem Hunde viel Pein erspart haben. Aber so geht's nicht! Wer könnte ein Geschöpf niederknallen, das einen so ansieht? Herr Hopp murmelt ein halbes Dutzend Flüche zwischen den Zähnen, einer gotteslästerlicher als der andre, hängt die Flinte wieder um, nimmt dem Raubschützen noch die jungen Hasen ab und geht.

Der Hund folgte ihm mit den Augen, bis er zwischen den Bäumen verschwunden war, stand dann auf, und sein mark- und beinerschütterndes Wehgeheul durchdrang den Wald. Ein paarmal drehte er sich im Kreise und setzte sich wieder aufrecht neben den Toten hin. So fand ihn die gerichtliche Kommission, die, von Hopp geleitet, bei sinkender Nacht erschien, um die Leiche des Raubschützen in Augenschein zu nehmen und fortschaffen zu lassen. Krambambuli wich einige Schritte zurück, als die Herren herantraten. Einer von ihnen sagte zu dem Jäger: "Das ist ja Ihr Hund." – "Ich habe ihn hier als Schildwache zurückgelassen", antwortete Hopp, der sich schämte, die Wahrheit zu gestehen. – Was half's? Sie kam doch heraus, denn als die Leiche auf den Wagen geladen war und fortgeführt wurde, trottete Krambambuli gesenkten Kopfes und mit eingezogenem Schwanze hinterher. Unweit der Totenkammer, in der der "Gelbe" lag, sah ihn der Gerichtsdiener noch am folgenden Tage herumstreichen. Er gab ihm einen Tritt und rief ihm zu: "Geh nach Hause!" – Krambambuli fletschte die Zähne gegen ihn und lief davon, wie der Mann meinte, in der

Richtung des Jägerhauses. Aber dorthin kam er nicht, sondern führte ein elendes Vagabundenleben.

Verwildert, zum Skelett abgemagert, umschlich er einmal die armen Wohnungen der Häusler am Ende des Dorfes. Plötzlich stürzte er auf ein Kind los, das vor der letzten Hütte stand, und entriß ihm gierig das Stück harten Brotes, an dem es nagte. Das Kind blieb starr vor Schrecken, aber ein kleiner Spitz sprang aus dem Hause und bellte den Räuber an. Dieser ließ sogleich seine Beute fahren und entfloh.

Am selben Abend stand Hopp vor dem Schlafengehen am Fenster und blickte in die schimmernde Sommernacht hinaus. Da war ihm, als sähe er jenseits der Wiese am Waldessaum den Hund sitzen, die Stätte seines ehemaligen Glückes unverwandt und sehnsüchtig betrachtend – der Treueste der Treuen, herrenlos!

Der Jäger schlug den Laden zu und ging zu Bett. Aber nach einer Weile stand er auf, trat wieder ans Fenster – der Hund war nicht mehr da. Und wieder wollte er sich zur Ruhe begeben und wieder fand er sie nicht.

Er hielt es nicht mehr aus. Sei es, wie es sei... Er hielt es nicht mehr aus ohne den Hund. – Ich hol ihn heim, dachte er, und fühlte sich wie neugeboren nach diesem Entschluß.

Beim ersten Morgengrauen war er angekleidet, befahl seiner Alten, mit dem Mittagessen nicht auf ihn zu warten, und sputete sich hinweg. Wie er aber aus dem Hause trat, stieß sein Fuß an denjenigen, den er in der Ferne zu suchen ausging. Krambambuli lag verendet vor ihm, den Kopf an die Schwelle gepreßt, die zu überschreiten er nicht mehr gewagt hatte.

Der Jäger verschmerzte ihn nie. Die Augenblicke waren seine besten, in denen er vergaß, daß er ihn verloren hatte. In freundliche Gedanken versunken, intonierte er dann sein berühmtes: "Was macht denn mein Krambam..." Aber mitten in dem Worte hielt er bestürzt inne, schüttelte das Haupt und sprach mit einem tiefen Seufzer: "Schad um den Hund."

Die Sünderin

Das Schreiben, selbst an meine liebsten Menschen, ist mir eine Qual",
sagte Louise von François, und: Mir auch, mir auch! dachte die alte Baronin,
als sie den vierten Brief, den sie heute geschrieben hatte, und jeden an einen ihr sehr lieben Menschen, schwer seufzend schloß. Kein fauler Stu-
dent sehnt sich ungeduldiger von der Schulbank fort, als sie sich fortsehnte
vom Schreibtisch in den Garten hinaus.

Es war ein Sommermorgen von jauchzender Pracht. Ein Blick ins Freie
umfaßte eine Welt von Schönheit: Schauen war Glück und Atmen Genuß.
Vom offenen Fenster her kam in lauen Wellen die Luft hereingestrichen
über die frisch gemähten Wiesen, durch das Geäste der Fichten, das helle
Laub der Tulpenbäume, den Blätterreichtum der Flügelnuß. Und von drüben grüßte die Deucia, die sich aus der Ferne ausnahm wie ein großes, von
Künstlerhand gebundenes Bukett und deren einzelne Blüten in der Nähe
kleinen Damen gleichsehen in weiß und rosa Ballkleidern. Die Baronin
schob ihre erledigte Korrespondenz von sich und wollte eben aufstehen,
als die Kammerjungfer, Fräulein Emilie, erschien. Sie war ältlich, lang und
dürr, und ihre Bewegungen hatten etwas Automatenmäßiges. An der Tür
blieb sie stehen und meldete kurz und bündig: "Die Fanka ist da!"

"So, so – die Fanka. Was fällt ihr ein? Wer hat sie gerufen?"

"Kommt von selbst. Möcht die Arbeiten für das Armenhaus wieder haben."

"Möcht sie? Ohne weiter's?"

"Ohne weiter's."

"Weiß sie nicht, daß sich zwei andere um die Arbeit bewerben? Ge-
schickte Schneiderinnen und brave Mädchen. Weiß sie nicht, daß ich böse
auf sie bin?" Das Fräulein schupfte die rechte Achsel in die Höhe und
machte eine äußerst verächtliche Miene. "Scheint nicht. Tut nichts dergleichen."

"Unglückliches Geschöpf! Hat schon zwei Kinder und muß noch ein drit-
tes bekommen. Und wer ist denn dieses Mal der Vater?"

"Das ist der Marian aus dem Meierhof."

"Der Witwer, der die vielen Kinder hat?"

"Sieben." Fräulein Emilie senkte die Arme und machte eine ausbreitende Bewegung, als ob sie der Gebieterin diese ganze Nachkommenschaft zu Füßen legen wollte. Die phantasiereiche Dame hatte sogleich den Anblick in völliger Leibhaftigkeit vor Augen; er tat ihr weh, und sie murmelte schmerzlich ergriffen: "Arme Würmer!"

"Er taugt nichts, der Marian", setzte sie nach einer Weile hinzu. "Wie seine Frau gestorben ist, hat jeder gesagt: ‹Wohl ihr!› Und mit dem läßt die Fanka sich ein. Es ist unglaublich, empörend ist's! Gehen Sie und sagen Sie ihr, daß ich sie nicht sehen will und in diesem Jahre keine Arbeit für sie habe."

"Schon recht." Emilie nickte und wandte sich. Ihre Eilfertigkeit und ihre Zustimmung zu dem grausamen Ukas mißfielen der Gebieterin. "Geduld!" Sie nahm eine Banknote aus der Schreibtischlade. "Geben Sie ihr das, und sie soll gehen!"

"Soviel?" In ihrer eigentümlichen Gangart, einem steifen Hüpfen, war Emilie herangekommen. "Ich werde ihr aber sagen, daß sie davon den Doktor bezahlt. Er hat sie schon klagen müssen."

"Müssen? Der wohlhabende Mann die armselige Person?"

"Der Doktor will auch leben. Wozu hätte er was gelernt?"

"Ist sie krank gewesen?"

"Sie nicht. Eins von die Buben."

"Der blonde, der schöne?"

"Weiß nicht, hab mich nicht erkundigt."

"Sagen Sie mir – wie sieht sie denn aus?"

"Recht abgerackert."

"Wie geht's dem Vater? Hat sie nichts gesagt?"

"Mein Gott, ja! Daß er alt ist und nicht mehr arbeiten kann."

"So? Und wer besorgt denn das Stück Feld, das sie wieder gepachtet hat?" Dieses viele Fragen machte das Fräulein schon ganz nervös. "Natürlich sie! Und sie hat ja den großen Buben."

"Groß? Ein zehnjähriges Kind."

"Wer kann dafür, daß er nicht älter ist?" Das war eine recht Emilianische Antwort, und die Ungeduld, der sie entsprungen, nicht mehr zu bemeistern. Das Fräulein wandte sich mit maschinenhafter Geschwindigkeit wie ein Drehkreuz und schritt der Tür zu.

"Warten Sie!" rief die Gebieterin, ärgerlich über dieses selbstherrliche Benehmen. Sie hatte einmal wieder einen ihrer raschen Entschlüsse gefaßt. Daß sie strafen werde, das war gewiß, dabei mußte es bleiben; aber *selbst* strafen wollte sie, nicht strafen lassen durch andere, die vielleicht grausam wären. "Warten Sie, hören Sie! Sie brauchen der Fanka gar nichts zu sagen. Ich will selbst mit ihr reden, sie soll kommen."

"Selbst reden – no, das wird wieder was werden", murmelte Emilie, aber so leise, daß ihre so ziemlich schwerhörige Herrin den Wortlaut dieses Mißtrauensvotums nicht vernahm. "Und was geschieht damit?" fragte sie, die Banknote an einer Ecke mit zwei Fingern von sich haltend, als ob sie etwas Ekelhaftes wäre.

"Das geben Sie ihr und schicken sie her." Das Fräulein entfernte sich wortlos; nur ihre Miene gab kund, daß sie verletzt worden war in irgendeinem besseren Gefühl, und wenige Augenblicke darauf trat die Fanka ein.

Ein heller Freudenschein glitt über ihr Gesicht beim Anblick der Greisin, die dasaß im Lehnstuhl in der Nähe des Fensters. Leise, rasch, völlig unbefangen kam sie auf sie zu, beugte sich und küßte ihre Hand. "Ich danke untertänigst für das Geld, gnädigste Frau Baronin, und ich komme die Arbeit abholen für das Armenhaus."

Die alte Frau betrachtete sie mit großem Ernste. Verjüngt hatte ihr letzter Fehltritt sie nicht, und Vorteil hatte sie auch nicht aus ihm gezogen, denn so armselig wie jetzt war ihre Kleidung nie gewesen. Aber hübsch war sie noch immer und noch anmutig ihre schlanke Gestalt. Ein kleines weißes Kopftuch umschloß den braunen Scheitel und die Wangen, die sehr schmal geworden waren. Auch das etwas zu kurze Näschen hatte schärfere Linien bekommen, und ganz so hell wie früher leuchteten die dunklen Augen nicht mehr. Unverändert geblieben war nur der ungewöhnlich schöne Mund, dessen volle rosige Lippen so fein geschwungen waren und den ein eigentlich anziehender Ausdruck von Lebenslust und Übermut umschwebte.

"Ich komm die Arbeit abholen für das Armenhaus", wiederholte sie nach einer Weile, da die Baronin schwieg.

"So, die Arbeit. Woher wißt Ihr denn, daß Ihr sie wieder bekommt?"

Fanka lächelte freundlich: "Ich denk mir's schon, Euer Gnaden, Frau Baronin." Die Unglückliche, die Unverbesserliche! So hatte sie keine Ahnung davon, daß sie einen Vorzug verscherzt haben konnte.

"Ihr seid im Irrtum, wenn Ihr Euch das denkt. Die Arbeit bekommt in diesem Jahr ein braves Mädchen." Fanka war einen Augenblick betroffen. Gleich darauf lächelte sie wieder, aber etwas wehmütig, wie über einen schlechten, grausamen Scherz, den man verzeihen muß, und sprach halblaut: "Ach nein, gnädige Frau Baronin."

"Wieso, nein? Durchaus ja! Ich bin bös auf euch. Ihr seid unmoralisch. Wieder ein Kind. Schämt Ihr Euch nicht vor Eurem großen Buben?"

"Vor dem Josefek?" Sie schlug die Hände leicht zusammen und blickte die Baronin mit gelassenem Staunen an. "Der hat ja die Brüder lieb; den kleinen schon gar. Den hat er gar lieb."

"So?... Nun, das ist wirklich ein guter Bub, der Josefek."

"Ob der gut ist, Euer Gnaden!" beeilte sich Fanka eifrig zu bestätigen. "So gut und so brav. Der Herr Lehrer loben ihn, daß er so brav ist in der Schule, der Allerbeste. Und fleißig ist der! So fleißig! Der Vater sind schon sehr schwach, können nichts mehr tun; da hilft mir mein Bub, was er nur kann. Mein Glück, der Bub; an dem werde ich meine Stütze haben, wenn ich einmal alt bin und mir nichts mehr verdienen kann."

"Das hat gute Wege; vorher werdet Ihr noch lang für ihn sorgen müssen, und wie lang noch für die andern!... Fanka, Fanka! Nein, daß Ihr Euch an

19

den Marian weggeworfen habt, das verzeih ich Euch nicht, das ist eine Schande."

Dieser Vorwurf traf die Sünderin hart, sie errötete bis unter die Haare und sprach langsam und leise mit schmerzhaft vorgezogenen Lippen: "Von dem hab ich geglaubt, daß er mich heiraten wird."

"Hat er es Euch versprochen?"

"Was soll er's versprechen? Heiraten muß er ja, was möcht er denn anfangen mit den vielen Kindern?"

"Ein Versprechen hat er Euch also nicht gegeben, und Ihr habt keins verlangt, weil Ihr Euch wohl gedacht habt: Wenn er's auch gibt, halten wird er's doch nicht. Ihr habt ihn ja kennen müssen und gewußt, daß er nichts taugt."

Fanka seufzte tief auf und erwiderte mit grandioser Ergebung: "Er ist halt ein Mann, einer wie der andere; sie sind alle so, alle schlecht."

Welche Erfahrungen! sagte sich die Baronin im stillen und setzte laut hinzu: "Das denkt Ihr, das glaubt Ihr und trotzdem... ich begreif Euch nicht... Geht, Fanka, geht! Euch ist nicht zu helfen; geht nur weiter ins Verderben, ins Elend mit Euren Kindern."

Fanka hatte diese harten Worte über sich ergehen lassen und die Sprecherin fortwährend angesehen mit einem Blick, der traurig fragte: Bist du's, die so zu mir spricht? Kann das sein? Bist du's wirklich?

Jetzt zog sie ihr fadenscheiniges Umhängetuch fester um die Schultern, lehnte den Kopf zurück und sagte, ohne die Stimme zu erheben, aber mit einem Anklang von Trotz: "Ich hab noch nie einen Menschen angesprochen um ein Stück Brot für meine Kinder."

"Gott behüt Euch davor, daß Ihr's je tun müßt", versetzte die Greisin, gegen ihren Willen ergriffen von diesen stolzen Worten.

"Ja, Euer Gnaden, ja, Gott behüt's, daß es nur nicht wieder so wird, wie's im Winter war mit dem Sylvin... Erinnern sich an ihn, Euer Gnaden? Haben ihn gesehen beim Erntefeste, haben ihn auf den Arm genommen, und

20

er hat sich nicht gefürchtet. Er hat Sie freundlich angeschaut. Erinnern sich?"

Ja, sie erinnerte sich. Ein bildschönes, etwa dreijähriges Büblein. Sie hatte gefragt: "Wem gehört der Blasengel?" Und einige Weiber hatten gekichert: "Der ist ja von der Schneiderin, der Fanka!" Und sie hatte denken müssen: Ihr – wie sollt es anders sein? – zur Last. Und was gäben manche Vornehme und Reiche um den Besitz eines solchen Kindes!

"Der, Euer Gnaden, der war zum Sterben, zum Sterben!" beteuerte Fanka, und hastig, sich überstürzend, sich verwirrend, erzählte sie, wie es so plötzlich gekommen war, im Winter, gerade damals, als sie so viel Arbeit gehabt... Einmal in der Nacht konnte sie sich vor Schlaf nicht retten... Da hatte der Vater sie geweckt: "Der Sylvin stirbt, wach auf, komm beten!"

Herr Jesus Christus! Wie? Was? Der Sylvin, ihr Bub, mit dem sie am Abend noch gelacht und gespielt hat? Nein, nein, der stirbt nicht, den läßt sie nicht sterben... stürzt zu ihm... Er glüht wie eine Kohle und röchelt.

"Laß ihn!" sagt der Vater. Aber sie hat ihn genommen, ihn gut eingewickelt, daß er nichts spürt, und fort mit ihm zum Doktor...

"Zum Doktor?" fragte die Baronin. "In der Nacht, im Winter, den weiten Weg?" Sie kannte ihn. Er zog sich durch die flachen Felder, die, kahl und baumlos, von Schnee bedeckt, unübersehbar schienen; sie kannte den mährischen Nordwest, der über sie hin fegt, ihren alten Feind, kannte seinen schneidenden Frost, sah das arme Weib, das sein Kind der Rettung entgegentrug, gegen ihn ankämpfen in Dunkel und Einsamkeit, malte sich alle Schrecken der langen, langen Wanderung aus und sagte: "Unsinn!"

"Ja", gestand Fanka, "der Herr Doktor haben gezankt: ‹Was schleppt Ihr ihn her? Ich muß zu ihm, nicht er zu mir.› Sind dann auch gekommen."

"Wie oft?"

"Fünfmal." Sie seufzte und fuhr mit der Hand über das Gesicht, als ob sie den Schatten eines sorgenschweren Gedankens wegwischen wollte. "Ich bin ihm noch schuldig, dem Herrn Doktor."

"Das Kind hat er Euch mit Gottes Hilfe gesund gemacht?"

"O je, Euer Gnaden" – ihre Munterkeit und Zuversicht waren schon zurückgekehrt –, "der lauft jetzt herum, daß der Staub hinter ihm aufliegt. Gott sei Dank, alle sind gesund, und ich hab Zeit, und mit der Arbeit für das Armenhaus kann ich mir helfen."

"Fanka", sprach die Baronin nach einer Pause und nicht ohne Selbstüberwindung, "mir tut's leid; aber auf die Arbeit für das Armenhaus dürft Ihr in diesem Jahr nicht rechnen. Ihr wißt, warum."

"Nicht rechnen, Euer Gnaden? Und wem möchten sie denn geben? Es macht sie ja niemand so gut wie ich. Die Frauen sind immer zufrieden, ich weiß schon so gut, wie jede es haben will, sie sind so heikel, die Frauen... Euer Gnaden, Frau Baronin, ich bitte..."

"Bittet nicht, quält mich nicht, und geht jetzt, Fanka!"

Nicht bitten und – gehen! Sollte sie's wirklich glauben, daß sie verstoßen war? Dann aber auch ins Elend. Die Pfändung wird kommen, und die Kinder werden hungern, und die ihr mit Hohn und Spott vorhergesagt: "Betteln wirst gehen!", werden recht behalten. O Herr Jesus Christus, lieber ins Wasser!...

Ihr Kopf brannte, ihre Knie bebten, und plötzlich, von Verzweiflung gepackt, stürzte sie mit einem lauten Aufschrei nieder: "Ich hab nie gebettelt, schicken Sie mich nicht betteln, gnädigste Frau Baronin!"

Die alte Frau war erschrocken in ihren Sessel zurückgesunken und hatte sich dann rasch erhoben: "Steht auf!" rief sie und blickte erschüttert auf das mühselige Geschöpf nieder, das gebrochen vor ihr lag, weil ihm eine neue Möglichkeit, sich zu mühen, verweigert wurde. Zur Strafe – wofür? Wer darf strafen? Trägt ihre Schuld die Strafe nicht in sich? Hat sie ihr nicht Plage und Schande genug gebracht? Freilich, nicht nur die allein – so strafst du, Weisheit, unergründliche, einzig anbetungswürdige Macht! –, freilich auch, strömend aus demselben Quell, Glück und Läuterung durch unendliche Opferkraft und eine tapfere, beschützende Liebe. "Steht auf!" wiederholte sie. "Was fällt Euch ein? Ich kann solche Sachen nicht leiden."

Langsam und zögernd wurde ihr Befehl erfüllt, und nun standen sie einander gegenüber, beide im Innersten erregt und verwirrt. Fanka wagte kein Wort mehr zu sprechen; sie hatte den Kopf gesenkt, schluchzte, und unaufhaltsam rannen Tränen über ihre Wangen.

Da legte eine Hand, deren leises Zittern sie fühlte, sich sanft auf ihre Schulter, und eine Stimme, aus der jede Spur von Strenge verschwunden war, sagte: "Geht! Jetzt aber wirklich. Ihr sollt Euch helfen können. Seid getrost und weint nicht, ich kann auch *das* nicht leiden."

Die Freiherren von Gemperlein

Das Geschlecht der Gemperlein ist ein edles und uraltes; seine Geschicke sind auf das innigste mit denen seines Vaterlandes verflochten. Es hat mehrmals glorreich geblüht, es ist mehrmals in Unglück und Armut verfallen. Die größte Schuld an den raschen Wandlungen, denen sein Stern unterworfen war, trugen die Mitglieder des Hauses selbst. Niemals schuf die Natur einen geduldigen Gemperlein, niemals einen, der sich nicht mit gutem Fug und Recht das Prädikat "der Streitbare" hätte beilegen dürfen. Dieser kräftige Familienzug war allen gemeinsam. Hingegen gibt es keine schrofferen Gegensätze als die, in denen sich die verschiedenen Gemperlein-Generationen, in bezug auf ihre politischen Überzeugungen, zueinander verhielten.

Während die einen ihr Leben damit zubrachten, ihre Anhänglichkeit an den angestammten Herrscher mit dem Schwerte in der Faust zu betätigen und so lange mit ihrem Blute zu besiegeln, bis der letzte Tropfen desselben verspritzt war, machten sich die andern zu Vorkämpfern der Revolte und starben als Helden für ihre Sache, als Feinde der Machthaber und als wilde Verächter jeglicher Unterwerfung.

Die loyalen Gemperlein wurden zum Lohne für ihre energischen Dienste zu Ehren und Würden erhoben und mit ansehnlichen Ländereien belehnt, die aufrührerischen zur Strafe für ihre nicht minder energische Widersetzlichkeit in Acht und Bann getan und ihrer Güter verlustig erklärt. So kam es, daß sich dieses alte Geschlecht nicht, wie so manches andere, eines seit undenklichen Zeiten von Kind auf Kindeskind vererbten Stammsitzes zu erfreuen hatte.

Am Schlusse des achtzehnten Jahrhunderts gab es einen Freiherrn Peter von Gemperlein, der, der erste seines kriegerischen Hauses, dem Staate als Beamter diente und noch am Abende seines Lebens ein hübsches Gut in einer der fruchtbarsten Gegenden Österreichs erwarb. Dort beschloß er hochbetagt, in Frieden mit Gott und mit der Welt, sein Dasein. Er hinterließ zwei Söhne, die Freiherren Friedrich und Ludwig.

In diesen beiden letzten Sprossen schien die im Vater verleugnete Gemperleinsche Natur sich wieder auf sich selbst besonnen zu haben. Sie brachte noch einmal, und zwar, was sie früher nie getan, in dem selben Menschenalter, die beiden Typen des Geschlechtes, den feudalen und den radikalen Gemperlein, hervor. Friedrich, der ältere, war, seiner Neigung folgend, in der Militärakademie zu Wiener-Neustadt zum Waffenhandwerk ausgebildet worden. Ludwig bezog im achtzehnten Jahre die Universität in Göttingen und kehrte im zweiundzwanzigsten, mit einer prächtigen Schmarre im Gesichte und mit dem Ideale einer Weltrepublik im Herzen, nach Hause zurück.

Genau fünfzehn Jahre eines hartnäckigen, mit Kraft und Kühnheit geführten Kampfes brauchten die Brüder, um einzusehen, daß für sie in der Welt nichts zu suchen, daß Friedrichs Zeit vorüber und Ludwigs Zeit noch nicht gekommen war. Der erste legte sein Schwert nieder, müde, einem Monarchen zu dienen, der in Eintracht leben wollte mit seinem Volke; der zweite wandte sich grollend von seinem Volke ab, das seinen Nacken willig und vergnügt dem Joche der Herrschaft beugte.

Zu gleicher Zeit bezogen Friedrich und Ludwig ihre Besitzung Wlastowitz und widmeten sich mit Liebe und Begeisterung der Bewirtschaftung derselben. Wenn auch so verschieden von einander wie Ja und Nein, begegneten sich die Freiherren doch in einem Kapitalpunkte: in der unaussprechlichen Anhänglichkeit, die sie nach und nach für ihren ländlichen Aufenthaltsort faßten.

Kein überzärtlicher Vater hat jemals den Namen seiner einzigen Tochter in schmelzenderem Tone ausgesprochen, als sie den Namen Wlastowitz auszusprechen pflegten. Wlastowitz war ihnen der Inbegriff alles Guten und Schönen. Für Wlastowitz war ihnen kein Opfer zu groß, kein Lob erschöpfend. "Mein Wlastowitz", sagte jeder von ihnen, und jeder hätte es dem andern übelgenommen, wenn er nicht so gesagt haben würde.

Bald nach ihrer Ankunft hatten die Brüder beschlossen, das väterliche Erbe in zwei gleiche Hälften zu teilen. Das Schloß mit seinen Dependenzen sollte im Besitze Friedrichs verbleiben, der dafür die Verpflichtung übernahm, für Ludwig inmitten von dessen Grundstücken das Blockhaus errichtete zu lassen, in welchem dieser an der Spitze der Familie, die er gründen wollte, zu leben und zu sterben gedachte.

Die Teilung wurde vielfach und hitzig erörtert, sie jedoch wirklich zu vollziehen, hoho! das überlegt man sich. Einen solchen Entschluß faßt man wohl; ihn auszuführen, verschiebt man gern von Jahr zu Jahr. Auf welches Stück, welchen Fußbreit, welche Scholle der geliebten Erde sollte einer der Brüder freiwillig verzichten? Jedem wäre der Grenzstrich, der Mein und Dein voneinander geschieden und das Gut, das als Ganzes einzig und vollkommen war, in zwei unvollkommene Hälften gespalten hätte, mitten durch das Herz gegangen.

Nichtsdestoweniger war seit langer Zeit die Grenze zwischen Ober- und Unter-Wlastowitz in der Katastralmappe verzeichnet, lag der Plan zu Ludwigs Blockhaus wohlverwahrt im Archiv, und einmal geschah es... aber wir wollen der ohnehin unausbleiblichen Katastrophe dieser wahrhaftigen Familiengeschichte nicht vorgreifen.

Das Leben, das die Freiherren auf dem Lande führten, war ein äußerst regelmäßiges. Schon am frühen Morgen verließen beide das Schloß und ritten zusammen im Sommer auf das Feld, im Winter in den Wald. Doch ereignete es sich gar selten, daß sie auch zusammen heimkehrten. Meistens kam Friedrich zuerst, mit hochgeröteten Wangen und blitzenden Augen, durch die gegen Norden gelegene Kastanienallee im Schritt nach Hause geritten. Sein ehemaliger Privatdiener und jetziger Bedienter, Anton Schmidt, erhielt den Befehl: "Frühstück auftragen!" mit dem zornig klingenden Zusatze: "Für mich allein!"

Anton begab sich an die Küchentür, wartete ein Weilchen und rief dann plötzlich dem Weibervolke am Herde zu: "Das Frühstück für die Herren!"

Das war der Moment, in dem Ludwig auf schaum- und schweißbedecktem Pferde durch das gegen Süden gelegene Tor in den Schloßhof sprengte. Sein schmales, feines Gesicht war so gelb wie eine Weizenähre um Peter und Paul, die hohe Denkerstirn schwer umwölkt. In gebieterischer Haltung betrat er den Speisesaal. Dort saß Friedrich, viel zu sehr in die "K. K. ausschl. priv. Wiener Zeitung" vertieft, um das Erscheinen seines Bruders wahrnehmen zu können. Dieser entfaltete sofort die "Augsburger Allgemeine" und hielt sie mit der linken Hand vor sich hin, während er mit der rechten den Tee in seine Tasse goß. Eifrig wurde gelesen, hastig gefrühstückt und sodann aus türkischen Pfeifen kräftig geraucht. Die beiden Freiherren saßen einander gegenüber auf ihren steiflehnigen Sesseln, die Zeitungen vor den Gesichtern, vom Wirbel bis zur Sohle eingehüllt in schwere Rauchwolken, aus denen von Zeit zu Zeit ein Fluch, ein zürnender Ausruf als Vorzeichen nahenden Gewitters sich vernehmen ließ.

Auf einmal rief's da und dort: "Oh, diese Esel!", und eine Zeitung flog unter den Tisch. Die politische Debatte war eingeleitet. Gewöhnlich gestaltete sie sich stürmisch und schloß nach etwa viertelstündiger Dauer mit einem beiderseitigen: "Hol dich der Teufel!"

Es gab aber auch Tage, an denen Ludwigs besonders gereizte Laune Abwechslung in die Sache brachte. Da führte er Reden, so persönlich giftig und beleidigend, daß sein Bruder sie zu beantworten verschmähte. Friedrichs offenes, sonst so freundliches Gesicht nahm einen starren Ausdruck an, ein Zug von unversöhnlichem Grimme legte sich um seinen Mund; jedes Haar seines Schnurrbartes schien sich trotzig emporzusträuben. Er stand auf, ergriff seinen Hut, rief seinen braunen, kurzhaarigen Jagdhund

und verließ schweigend das Zimmer. Der breite Rücken, die mächtigen Schultern waren etwas gebeugt, als trügen sie eine schwere Last.

Ludwig bemerkte es, obwohl er ihm nur flüchtig nachsah, murmelte einige unverständliche Worte und las seine Zeitung mit all der Aufmerksamkeit zu Ende, die ein Mensch aufwenden kann, dem die Herrschaft über seine Gedanken so ziemlich abhanden gekommen ist. Bald jedoch erhob er sich und begann mit dröhnenden Schritten im Gemache auf und ab zu schreiten. Seine Miene wurde immer finsterer. Er warf den Kopf zurück, er nagte an der Unterlippe, er richtete seine schlanke Gestalt immer kühner und herausfordernder auf.

Wonach verlangte ihn denn noch, als nach Ruhe und Frieden! Hier hatte er gehofft, ihrer teilhaftig zu werden. Ja, eine saubere Ruhe, ein sauberer Frieden! Um *die* zu finden, braucht man sich nicht zurückzuziehen in die Einöde, sich nicht zu vergraben in geisttötende Abgeschiedenheit. Wenn es aber schon nicht anders ist, wenn du recht hast, o Seneka! wenn Leben Kriegführen heißt und durchaus gestritten sein muß, dann sei es auf würdigem Kampfplatze! Dann sei es in der Welt, wohin ein Mann gehört, den das Schicksal mit ungewöhnlicher Ausdauer und mit ungewöhnlichen Geistesgaben gesegnet oder – heimgesucht hat.

Ludwig ging langsam die Treppe hinab. Sein struppiger, immer verdrießlicher Pintscher folgte ihm bellend nach.

Unter dem Tore blieb der Freiherr stehen und sah sich einmal wieder die Gegend an. Die grünen Höhen, die in sanften Wellenlinien den Horizont ziemlich eng umgrenzten, mahnten sie nicht: Stecke dir nicht allzu weite Ziele! Was wir umschließen, ist auch eine Welt, eine stille zwar, aber die deine laß es dir gefallen in unserer Hut!

Auf einem der Ausläufer des Gesenkes lag der freundliche Hof, der den Stolz des Gutes Wlastowitz, die Ehre der Negretti-Herde, beherbergte. Wie ein Schlößchen, stilvoll und blank, nahm er sich aus inmitten stattlicher Pappelbäume. Die sanft abgleitende Hügellehne nebenan, noch vor dreißig Jahres ödes Land, war jetzt in einen Obstgarten verwandelt. Dank dem treuen Vater, der ihn gepflanzt! Nicht für sich wahrlich; er sollte in seinem Schatten nicht mehr ruhen, sich an seinen Früchten nicht mehr erfreuen!

Für die Söhne, deren er stets gedachte und die er so selten sah, für die Söhne, die ferne von ihm ihre ehrgeizigen Ziele verfolgten und – wie vergeblich! – dauerndes Gut, dauerndes Glück im wechselvollen Leben suchten.

Nun standen die Birnbäume in der Fülle ihrer Kraft, die Äpfel- und Pflaumenbäume streckten ihre schwerbeladenen Äste breit um sich, und die zierlich schlanken Kirschbäume, was für Früchte hatten die in den letzten Jahren getragen! Groß wie Nüsse und saftig wie Weintrauben. Ja, die Kirschen in Wlastowitz, die schmecken nicht nur den Kindern!

Und die Felder ringsum – im Frühling ein grünes, im Sommer ein goldenes Meer, im Herbst aber erst recht eine Wonne für das Auge des Ökonomen: neue Verheißung nach der reichsten Erfüllung... Ja, der Boden in Wlastowitz! Gestürzt, geeggt, gewalzt, so fein wie der des sorglichst gepflegten Beetes in einem Blumengarten, so aromatisch wie Spaniol... schnupfen könnt man diese Erde!

Ludwigs Blicke schwelgten in all den Herrlichkeiten, und die Falten auf seiner Stirn, die hochgehenden Wogen in seinem Innern glätteten sich. Ein kurzer Kampf noch, noch ein Versuch, den Zorn, die Entrüstung festzuhalten, die ihm abhanden zu kommen drohten, dann war's vorbei: "Wo ist mein Bruder?" fragte er den ersten, der ihm begegnete, und machte sich die erhaltene Auskunft schleunigst zunutze.

Um zwei Uhr kamen die Herren, natürlich streitend, aber doch zusammen, vom Felde zurück und setzten sich zu Tische. Nachmittags widmeten sie sich der Erziehung ihrer Hunde und Pferde, nahmen eine Rekognoszierung des Gutes oder eines Teiles desselben vor und besprachen mit Herrn Verwalter Kurzmichel das morgige Tagewerk. Den Schluß des heutigen bildete ein allerschwerster, mit der allergrößten Erbitterung geführter Streit über religiöse, politische oder soziale Fragen. Sehr aufgeregt und einander ewigen Widerstand schwörend, gingen die Brüder zu Bett.

Das war im großen ganzen, abgesehen von den Veränderungen, welche die jeweilige Jahreszeit, die Jagden, die Besuche in der Nachbarschaft mit sich brachten, die Lebensweise der Freiherren von Gemperlein.

Einem oberflächlichen Beobachter mochte sie nicht besonders reizend erscheinen, der tiefer eindringende jedoch mußte zugeben, daß sie auch angenehme Seiten habe. Die angenehmste war die hohe Achtung, in der die Brüder bei ihrer Umgebung standen. Mochte sich auch ein gutes Teil Furcht in diese Achtung mischen, das nahm ihr nichts von ihrem Werte. Welcher von den beiden Herren strenger gegen seine Diener sei, hielt schwer zu entscheiden. Sie forderten viel, aber niemals ein Unrecht; sie waren oft unerbittlich hart, aber sie ehrten in dem Geringsten, ja noch in dem Unverbesserlichen – den Menschen.

"Weil ich höher stehe als der arme Teufel, mein Nächster, und in ihm einen Schutzbefohlenen respektieren muß", sagte Friedrich.

"Weil ich seinesgleichen bin", sagte Ludwig, "und sogar in dem verzerrten Ebenbilde meine Züge wiederfinde."

"Du Spitzbube!" rief Friedrich dem versteckten Sünder zu, "weißt du nicht, was das Gesetz befiehlt? Hörst du nicht, was der Pfarrer predigt? Warte nur, dich kriegt die Gendarmerie und drüben ganz gewiß – die Hölle!"

Ludwigs Ermahnungen hingegen lauteten: "Wann werdet ihr endlich lernen, euch selbst in Zucht zu halten? Wann werdet ihr endlich, ihr Dummköpfe, müde werden, Leute zu bezahlen, die euch überwachen, euch einsperren und manchmal sogar aufhenken? Regiert euch selbst, ihr Esel, dann erspart ihr alles Geld, das euch jetzt die Regierung kostet."

So eindringliche Vorstellungen blieben nicht ganz ohne Wirkung, und eine viel größere, als sie hatten, schrieben ihnen die Freiherren zu, die überhaupt trotz mancher erlittenen Enttäuschung alles, was sie am innigsten wünschten, auch für das Wahrscheinlichste hielten. Auf diese Weise genossen sie so manches Glück, das sie niemals gehabt, kosteten es in Gedanken durch und empfanden dabei vielleicht ein lebhafteres Vergnügen, als wenn es ihnen in Wahrheit zuteil geworden wäre. Die reiche Phantasie, welche die Natur ihnen geschenkt, entwickelte sich in dem stillen Wlastowitz viel üppiger, als dies im Wirbel des Weltgetriebes hätte geschehen können, und bereitete ihnen eine Fülle reiner Freuden, die nur der belächelt und verschmäht, der nicht fähig ist, sich ähnliche zu schaffen.

Bekanntermaßen fließt das Dasein je einförmiger, desto rascher dahin, und ehe die Brüder sich's versahen, kam der Tag heran, an dem Friedrich sagen konnte: "Ich möchte wissen, ob es jemals einen denkenden Menschen gegeben hat, der nicht schon die Bemerkung gemacht hätte, daß die Zeit doch eigentlich sehr schnell vergeht."

"Im Gegenteil", sprach Ludwig, "diese Wahrheit ist schon so oft ausgesprochen worden, daß gar nichts daran liegt, sie noch einmal auszusprechen."

"Würden wir's glauben, wenn wir's nicht wüßten", fuhr Friedrich fort, "es ist jetzt gerade zehn Jahre her, daß wir in Wlastowitz eingezogen sind."

Ludwig fegte mit der Reitgerte die Spitzen seiner staubigen Stiefel, kreuzte dann die Arme und starrte melancholisch ins Grüne, das heißt ins Gelbe, denn es war Herbst, und sie saßen vor einer Goldesche.

"Zehn Jahre", murmelte er, "ja, ja, ja – zehn Jahre. Hätte ich damals geheiratet, damals, als ich so gute Gelegenheit... als ich sehr geliebt wurde -"

"Als du geliebt wurdest", wiederholte Friedrich und zwang sich, ein ernsthaftes Gesicht zu machen.

"– So könnte ich jetzt bereits Vater von neun Kindern sein."

"Von achtzehn, wenn deine Frau dir jedesmal Zwillinge beschert hätte, von noch viel mehr, weil ja die Äpelblüh büschelweise auf die Welt zu kommen pflegen!" sprach Friedrich und lachte.

Ludwig sah ihn von der Seite an. "Es gibt", sagte er wegwerfend, "nichts Dümmeres als ein dummes Lachen."

"Es gibt nichts Lächerlicheres als einen Mann, der am hellen, lichten Tage träumt und ohne Fieber phantasiert", rief Friedrich. "Zum Kuckuck mit all deinem Wenn und Vielleicht, mit deinen Schimären und Hirngespinsten! Du leidest an fixen Ideen. Halte dich doch endlich einmal an das Reale, an die Wirklichkeit!"

Jetzt schlug Ludwig ein grelles Gelächter auf. Er erhob die Augen und die gerungenen Hände anklagend zum Himmel. "Das Reale! Die Wirklichkeit!" schrie er, "o Gott, der spricht von ihnen... Der!... und war drei Jahre lang in einen Druckfehler verliebt!"

Friedrich senkte zornig-beschämt den Kopf und biß seinen Schnurrbart. Plötzlich fuhr er auf: "Und du – weißt du denn –?"

Ein verhängnisvolles Wort schwebte auf seinen Lippen, doch sprach er es nicht aus, sondern brummte nur leise vor sich hin: "Hol's der Geier!"

II

Schon im ersten Jahre ihrer Niederlassung in Wlastowitz hatten die Brüder beschlossen, sich zu verheiraten, und auch bereits die Wahl ihrer zukünftigen Gattinnen getroffen. Friedrich entschied sich für eine Gräfin Josephe, Tochter des Hochgeborenen Herrn Karl, Reichsgrafen von Einzelnau-Kwalnow, und der Hochgeborenen Frau Elisabeth, Reichsgräfin von Einzelnau-Kwalnow, geborenen Freiin von Czernahlava, Sternkreuzordensdame. Ludwig, der längst mit sich darüber im reinen war, daß er lieber zeitlebens in dem ihm eigentlich verhaßten Junggesellenstande verharren als eine Aristokratin heiraten wolle, faßte den Entschluß, Lina Äpelblüh, ein Kaufmannstöchterlein aus dem nächsten Städtchen, zu seiner Frau und zur Mutter einer großen Anzahl freisinniger Gemperleins zu machen.

Daß die Bekanntschaft, die die Brüder mit ihren Auserwählten geschlossen hatten, von sehr intimer Art gewesen sei, ließ sich nicht behaupten. Friedrich war seiner Braut im Genealogischen Taschenbuche der gräflichen Häuser begegnet und wußte nur weniges von ihr, dieses wenige aber mit Bestimmtheit. Sie wohnte in Schlesien, auf dem 1100 Joche umfassenden Gute ihres Vaters, stand im Alter von dreiundzwanzig Jahren, hatte fünf Brüder, von denen der älteste dreizehn Jahre zählte, und bekannte sich zur katholischen Konfession.

Ihre Familienverbindungen waren sowohl väterlicher- als mütterlicherseits äußerst achtbare. Sie gehörte zwar nicht dem höchsten, aber einem guten, erbgesessenen Adel an, dessen Anciennität der des Gemperlein-schen nichts nachgab. Einen nicht geringen Einfluß auf Friedrichs Wahl übte der Umstand, daß Josephe nur Brüder und keine Schwestern hatte; so geriet der Mann, der sie heimführte, nicht in Gefahr, seinen häuslichen Frieden durch einige allenfalls zum Zölibat verurteilte Schwägerinnen be-droht zu sehen. Kurz, unter sämtlichen Töchtern des Landes, die das gräf-liche Taschenbuch aufzuführen wußte, paßte für Friedrich keine wie Jo-sephe Einzelnau.

Er verfolgte den Lebenslauf seiner Erkorenen mit liebevoller Aufmerk-samkeit durch drei Jahrgänge des Almanachs und befestigte sich immer mehr in dem Vorsatze, seinerzeit nach Schlesien zu reisen und sich dem Grafen von Einzelnau als ein von den redlichsten Absichten beseelter Be-werber um die Hand Gräfin Josephens vorzustellen.

Ludwig indessen kannte Fräulein Lina nicht nur von Angesicht zu Ange-sicht, er hatte sie sogar einmal gesprochen, als sie nach Wlastowitz gekom-men war, um ihre Tante, die Frau Verwalterin Kurzmichel, zu besuchen.

"Wie geht's?", fragte er das hübsche Kind, das er im Garten mit einer Sti-ckerei beschäftigt traf. Lina Äpelblüh erhob sich von der Bank, auf der sie gesessen, machte einen kurzen, resoluten Knicks, den echten Bürgermäd-chenknicks, der mit reizendster Unbeholfenheit das gediegenste Selbstbe-wußtsein ausdrückt, und antwortete:

"Ich danke, gut."

Wie sehr ihn das freute, verriet ihr ein feuriger Blick seiner blauen Augen, und ihre braunen senkten sich.

Eine Pause. – Was soll ich ihr jetzt sagen?... Donner und Wetter! was soll ich ihr jetzt sagen? dachte der Freiherr und rief endlich: "Das macht die Landluft!"

"O, mir geht's auch in der Stadt gut!" versetzte die Kleine mit einem mun-tern Lächeln.

Die Erinnerung an dieses Gespräch beschäftigte den Freiherrn sehr oft und sehr angenehm; er gab sich ihr ohne Rückhalt hin, und seine Phantasie schmückte das bescheidene Erlebnis mit den anmutigsten Zutaten aus. Der Gruß der lieblichen Jungfrau, ihr Lächeln, ihr Erröten gewannen eine täglich wachsende, für ihn immer schmeichelhaftere Bedeutung.

Eines Tages – an einem Sonntage war's, an dem das Ehepaar Kurzmichel auf dem Schlosse gespeist hatte – wandte sich Ludwig plötzlich mit den Worten zur Frau Verwalterin: "Ein ganz scharmantes Mädchen, Ihre Nichte! Ein schönes, liebenswürdiges Mädchen."

Frau Kurzmichel hatte eben den Beratungen Friedrichs und ihres Mannes über die bevorstehende Schafschur mit jenem verständnisinnigen Interesse für ernste Dinge gelauscht, dem sie vor allem andern den Ruf einer ausgezeichnet gescheiten Frau verdankte. Sie bedurfte einiger Augenblicke, um ihrem Gedankenfluge die neue Richtung zu geben, die ihm durch Ludwigs wie vom Himmel gefallene Bemerkung vorgeschrieben wurde. Sobald ihr dies jedoch gelungen, verbreitete sich ein Ausdruck zarten Wohlwollens über ihr großes, würdevolles Gesicht. Sie schüttelte beistimmend die Locken, die, unzertrennlich von der Sonntagshaube, mit dieser zugleich angelegt wurden, und sprach: "Ein braves Kind! Ein wohlerzogenes, häusliches... ich darf es gestehen."

Das Lob der sittenstrengen Dame war ein Moralitätszeugnis von unschätzbarem Werte.

Ludwig sagte nur: "So, so", aber er rieb sich die Hände mit einer Art von Phrenesie, was bei ihm das Zeichen allerhöchsten Behagens, eines wahren Glückseligkeitsrausches war.

Schon einige Monate später kündigte er seinem Bruder eines Abends an, daß es sein ganz bestimmter, unerschütterlicher, durch keine Rücksicht, keinen Widerstand, kein Hindernis, mit einem Worte: durch nichts auf Erden zu besiegender Wille sei, sich mit Lina Äpelblüh zu verheiraten.

Als er diesen Namen nannte, schoß Friedrich einen Blick nach ihm, geladen mit Entrüstung und wildem Hohne, doch senkte er ihn sogleich wieder auf das Buch, das er vor sich liegen hatte. Es war "Judas, der Erzschelm", sein Lieblingsbuch. Die Ellbogen auf den Tisch gestemmt, die zu Fäusten geballten Hände an die Schläfen gepreßt, setzte er mit leidenschaftlicher Aufmerksamkeit seine Lektüre fort. Auch Ludwig hatte seine Arme, jedoch verschränkt, auf den Tisch gelegt, machte, wie man zu sagen pflegt, einen Katzenbuckel und blickte seinen Bruder scharf und unverwandt an. Dieser wurde immer roter im Gesichte, immer drohender zogen die Falten auf seiner Stirn sich zusammen, allein er las und – schwieg.

Nun stieß Ludwig ein gellendes "Haha!" hervor, lehnte sich zurück und begann zu pfeifen.

"Pfeif nicht!" schrie Friedrich heftig, ohne jedoch die Augen zu erheben.

"Schrei nicht!" entgegnete Ludwig überlaut und setzte rasch und polternd hinzu: "Was hast du gegen meine Heirat? Es ist mir zwar ganz gleichgültig, aber ich will es wissen!"

Friedrich schob das Buch von sich. "Ich hab gegen deine Heirat – nichts!" sagte er, "heirate, wen du magst, meinetwegen eine Taglöhnerin!... Nur", sein Gesicht nahm einen Ausdruck von kalter Grausamkeit an, er durchschnitt mit einer feierlichen Bewegung der erhobenen Hand die Luft zwischen sich und seinem Bruder, "nur: jedem das Seine! – Es gibt Stufen im Leben. – Dich zieht's nach den unteren, mich – nach den oberen..."

"Was?" unterbrach ihn Ludwig mit herausforderndem Spotte. "Was gibt's im Leben? – Stufen?"

Friedrich ließ sich nicht irremachen; er fuhr in dem magistralen Tone fort, den er in entscheidenden Augenblicken anzunehmen wußte: "Meine Frau hüben – die deine drüben. Umgang duld ich nicht. Die Schwelle der geborenen Äpelblüh wird meine Josephe niemals überschreiten."

"Das hoff ich!" rief Ludwig. "Umgang mit einer hochmütigen Aristokratin – dafür dank ich. Meine Frau soll gar nicht ahnen, daß Närrinnen existieren, die sich für etwas Besonderes halten, weil man ihre Ahnen zählen kann!"

"Warum kann man das?" fiel Friedrich ein. "Weil die Ahnen sich hervorgetan haben, nicht untergegangen sind in der Menge – darum kann man sie zählen."

"Zufall!" entgegnete der jüngere Freiherr von Gemperlein, "daß sie sich hervortun konnten; Gunst der Verhältnisse, daß die Erinnerung an ihr ehrenwertes oder nichtsnutziges Wirken sich im Volke wach erhielt... Es gibt Taten genug – lies die Geschichte! –, es gibt weltumgestaltende Ereignisse genug, deren Urheber niemand zu nennen weiß... Was ist's mit den Nachkommen dieser Männer? Kannst du darauf schwören, daß dein Anton Schmidt nicht von dem Sänger des schönsten deutschen Götterliedes, nicht von einem der Wahlkönige der Goten abstamme? Kannst du darauf schwören?" fragte er und sah seinen Bruder durchbohrend an. Dieser, ein wenig außer Fassung gebracht, zuckte die Achseln und sprach: "Lächerlich!"

"Lächerlich? Ich will dir sagen, was lächerlich ist. Es ist lächerlich, Auszeichnungen zu genießen, die andere verdienten. Es ist mehr als lächerlich, es ist niedrig, den Lohn fremder Mühe einzusäckeln!"

"Fremder? Sind meine Ahnen mir fremd?!"

"Laß deine Ahnen in Ruh! Wirst du denn ewig deinen Anspruch auf das Köstlichste, das es gibt, auf die Achtung der Menschen, aus dem Ekelhaftesten, das es gibt, aus dem Moder, wühlen?... Pfui! mich widert's an!" Ludwig schüttelte sich vor Abscheu und fügte dann ruhiger, in beinah flehendem Tone hinzu: "Wirst du denn niemals einsehen, daß sich zugunsten der Adelsinstitution nichts vorbringen läßt, als was Staatsanwalt Séguier – lies die Geschichte! – zugunsten anderer Mißbräuche sagte: Ihre lange Ausübung macht sie ehrwürdig... Oder was die Bollandisten zugunsten des Diebstahls sagten – lies die Acta Sanctorum nur bis zum vierundvierzigsten Band..."

"Bis zum wievielten?" schrie Friedrich, empört über diese hirnverbrannte Zumutung.

Sein Bruder lächelte geringschätzig und sprach: "Kennst du den Preis, mit dem du deinen Ahnenstolz bezahlst? Er heißt Selbstachtung!... Was ich bin, was ich bleibe, wenn man mir meinen Namen, meinen Rang, mein Vermögen nimmt, darin besteht mein Wert, auf den allein bau ich mein Recht, das übrige verachte ich als Geschenk des blinden, sinnlosen Zufalls!"

Beide waren aufgesprungen; der Ältere stürzte auf den jüngeren los und packte ihn an den Schultern: "Wessen Geschenk sind denn diese Schultern, wem verdankst du diese Brust, den Wuchs, der das Mittelmaß der Menschen um Kopfeshöhe überragt? Und daß in deiner Brust ein redliches Herz schlägt und daß in deinem Kopfe Ideen wohnen – tolle freilich – aber doch Ideen -, wem verdankst du das alles? Hast du's vom Zufall oder hast du's von deinen Ahnen?"

"Ich hab's von der Natur!"

"Jawohl, von der Gemperleinschen Natur!" versetzte Friedrich triumphierend.

"Dein Gedankenkreis", sagte Ludwig nach einer kleinen Pause, "hat nicht mehr Umfang als der eines Perlhuhns. Ein fester Punkt ist da, um den drehst du dich herum wie jenes Tier auf dürrer Heide –"

"Perlhuhn? Tier?" brummte Friedrich; "einmal könntest du aufhören mit deinen Vergleichen aus der Zoologie."

"Der feste Punkt, von dem aus jeder Esel", Ludwig ließ die Stimme auf diesem Worte ruhen, um zu zeigen, wie wenig er die erhaltene Ermahnung berücksichtige, "von dem aus jeder Esel die vernünftige Welt aus ihren Angeln heben kann, heißt das Vorurteil."

"Ludwig! Ludwig!" unterbrach ihn hier sein Bruder, "mit erhobenen Händen beschwör ich dich: Taste das Vorurteil nicht an... Vorurteil!" wiederholte er und legte auf dieses Wort einen unbeschreiblichen, man könnte sagen zärtlichen Nachdruck, "so nennt der Grobian die Höflichkeit, der Egoist die Selbstentäußerung, der Schurke die Tugend, der Atheist den Glauben an Gott, das ungeratene Kind die Ehrfurcht vor den Eltern! Nimm das Vorurteil, du nimmst die Pflicht aus der Welt!"

"Holla! Es ist genug!" sprach Ludwig gebieterisch. "Dir beweisen Gründe nichts, man muß mit Taten kommen." Er warf den Kopf zurück, sein Blick war prophetisch in die Ferne gerichtet, eine erhabene Zuversicht klang aus seiner Stimme. " *Meine Kinder* werden dich lehren, was es heißt, erzogen sein in Ehrfurcht vor dem Ehrwürdigen, aber – ohne Vorurteil..."

"Deine Kinder! Bleib mir mit deinen Kindern vom Leibe!" schrie Friedrich auf und focht mit verzweiflungsvoller Hast in der Luft umher, als gälte es, von allen Seiten in hellen Schwärmen heranfliegende kleine, vorurteilslose Gemperleins von sich abzuwehren, "Sie dürfen mir nicht über die Schwelle, deine Kinder! Ich verbiete ihnen mein Haus!" Tief verletzt in seinem etwas verfrühten Vaterstolze wandte Ludwig sich ab.

"Kinder ohne Vorurteile!" fuhr Friedrich empört fort, "Gott bewahre einen vor solchen Ungeheuern!"

"Brauchst Gott nicht anzurufen, bist schon bewahrt", versetzte sein Bruder mit eisiger Kälte. "Das übrigens versteht sich von selbst – an die Tür, die meiner Frau, meinen Kindern gewiesen wurde, werde ich nie pochen. Unsere Wege trennen sich. Wo sind die Schlüssel des Archivs?"

Er holte die Karte von Wlastowitz herbei, breitete sie auf dem Tische aus und begann die Grenzlinie, die das schöne Blatt ohnehin schon traurig verunstaltete, zu beiden Seiten so derb zu schattieren, daß sie jetzt wie ein hoher, unübersteiglicher Gebirgszug erschien, der sich schroff durch die spiegelglatte Ebene, durch die blühendsten Felder und Wiesen hinschlängelte. Friedrich sah ihm traurig und grimmig zu.

"So!" brummte Ludwig jedesmal, wenn er von neuem die Feder eintauchte, "das zwischen uns. Hier bist du – hier bin ich. Gemeinschaft ist gut im Himmel, aber leider!, leider! nicht auf der Erde... Die jetzigen Menschen sind noch nicht danach!..."

Nicht so schnell wie mit der längst auf dem Papier durchgeführten Teilung der Gründe konnte Ludwig mit der Wahl des Platzes fertig werden, an dem das Blockhaus zu errichten sei; gegen jeden, für den er sich entschied, machte Friedrich einen triftigen und berücksichtigenswerten Einwand. Ludwig verlor endlich das bißchen Geduld, das er noch zu verlieren hatte.

"Jetzt hab ich's satt. Da wird's stehen!" rief er und bezeichnete mit der in zorniger Hast geschwungenen Feder die Stelle, auf der sein zukünftiges Heim sich erheben solle. Ach! Wie eine schwarze Träne fiel ein großer Klecks auf die Karte von Wlastowitz. Auf die schöne Karte, das treffliche, noch auf Anordnung des seligen Vaters mit wahrem Mönchsfleiße ausgeführte Werk eines ausgezeichneten Ingenieurs... Friedrich zuckte zusammen, und Ludwig murmelte: "Hunderttausend Millionen Donnerwetter! Die verdammte Feder!" -

Herr Verwalter Kurzmichel war an jenem Abend eben im Begriffe, das eheliche Lager zu besteigen, auf dem seine Gemahlin bereits Platz genommen, als er durch heftiges Pochen am Haustor in seinem Vorsatze gestört wurde. Eilige Schritte auf der hölzernen Treppe, rasch gewechselte Worte – Frau Kurzmichel saß schon aufrecht in ihrem Bette -, die beiden Gatten sahen einander an; er ein Bild der Bestürzung, sie ein Bild der Wachsamkeit. Nun klopft es an die Stubentür: "Herr Verwalter", ruft die Magd, "Sie sollen kommen – ins Schloß – gleich!"

"Um Gottes willen – brennt's?" stöhnte Herr Kurzmichel und stürzte auf die Tür zu. Aber seine Frau kam ihm noch glücklich zuvor: "Kurzmichel – du wirst doch nicht – du bist – in diesem Nichtanzuge..."

"Wahr, wahr!" entgegnete Herr Kurzmichel mit klappernden Zähnen, eilte an den Nachttisch zurück, setzte für alle Fälle seine Brille auf und machte krampfhafte Versuche, seine Tabaksdose in eine nicht vorhandene Tasche zu versenken.

"Ruhe, Kurzmichel! – in jeder Lage des Lebens Ruhe!" mahnte die Frau Verwalterin und rief nun ihrerseits durch die geschlossene Tür: "Brennt es?" – "Nein – brennen tut's nicht!" antwortete von draußen Antons derbe Stimme. "Aber der Herr Verwalter soll gleich ins Schloß kommen!"

Frau Kurzmichel half dem Gatten in die Kleider. "Was mag's geben? Was mag's nur geben?" fragte ihr Mann einmal ums andere, und innerlich bewegt, äußerlich aber ruhig wie das gute Gewissen, antwortete die große Frau: "Was soll's denn geben? Die Flanelljacke, Kurzmichel!... Wer hätte uns etwas vorzuwerfen? Was kann uns geschehen? Ich denke, wir stehen da! Nein! nein – ohne Flanelljacke darfst du mir nicht hinaus in die Nacht!"

Eine Viertelstunde verging. Die Frau Verwalterin hatte inzwischen Tee gekocht und die Wärmflasche mit heißem Wasser gefüllt. Der Herr Verwalter mußte, als er zurückkam, vor allem andern ins Bett. Der Tee, den seine Gattin ihm aufnötigte, verbrannte ihm den Gaumen und die Wärmflasche die Fußsohlen. Er klagte ein weniges darüber. Aber seine heilkundige Hälfte belehrte ihn: "Das ist nur die Erkältung, die herausgeht, das tut nichts... Und jetzt sprich: Was hat's gegeben im Schlosse?"

"Befehle, liebe Frau; dringende, strikt zu befolgende Befehle wegen des morgen mit dem frühesten beginnenden Baues von Freiherrn Ludwigs..."

"Blockhaus!" fiel die Frau Verwalterin mit ironischer Schärfe ein.

Ihr Gatte blickte sie voll Erstaunen an: "Woher vermutest du?...", sagte er.

Die Antwort, die er erhielt, war eine sehr sonderbare. Sie lautete: "Man könnte wahrlich, wenn der Respekt dies nicht verböte, in Versuchung geraten, die Herren Barone trotz all ihrer ausgezeichneten Eigenschaften, die ich verehre, ein bißchen – wie sag ich nur – zu nennen." Die Frau Verwalterin machte eine Pause, bevor sie wieder die schmalen Lippen zu den aufzeichnenswerten Worten öffnete: "Denke an mich, Kurzmichel, denke in zehn Jahren an mich, wenn du noch lebst, was Gott gebe: Das Blockhaus wird nie gebaut! – Gute Nacht, Mann; lege dich aufs Ohr und schlafe; morgen wecke ich dich nicht!"

Man muß gestehen, die seltene Frau gab in jener Stunde einen durch das Dunkel der Zeiten glänzend leuchtenden Beweis ihres Scharfsinnes, ihrer merkwürdigen Voraussicht und ihrer ausgezeichneten Kenntnis des menschlichen Herzens.

III

Es ist eine ausgemachte Sache, daß Kämpfe, die man mit einem solchen Aufwande an Geist, Ausdauer und Temperament führt, wie die Freiherren von Gemperlein es taten, nach und nach zum Selbstzwecke werden, während die Veranlassung derselben in den Augen der wackeren Streiter immer mehr an Bedeutung verliert. Wenn Friedrich aufrichtig sein wollte, so mußte er bekennen, daß er hundert Josephen für einen zu standesgemäßen Überzeugungen bekehrten Ludwig gegeben hätte. Ludwig hingegen gestand sich, daß es ihm süßer wäre, von seinem Bruder ein einziges Mal zu hören: Du hast recht, als von seiner Lina: Ich liebe dich!

Nur in ganz bösen Stunden, in denen sie definitiv aneinander verzweifelten, rafften sie sich zu entscheidenden Entschlüssen auf. So geschah es, daß Friedrich eines Tages seine Koffer packen ließ und seine Abreise nach Schlesien für den kommenden Morgen festsetzte, während Ludwig mit sich selbst zu Rate ging, in welcher Weise er Frau Kurzmichel am besten von seinen Gefühlen für ihre Nichte in Kenntnis setzen könnte. Aber – mitten in diese Vorbereitungen hinein fiel ein Wink vom Himmel in Gestalt einer Büchersendung aus Wien. Die Sendung enthielt unter anderm den neuesten Gothaischen Almanach und dieser die Nachricht, daß Frau Gräfin Mutter Einzelnau am 3. August des laufenden Jahres auf Schloß Kwalnow verschieden sei. Friedrich war von dem schmerzlichen Verluste, den Josephe erlitten, tieferschüttert, und auch Ludwig, der doch keine Ursache hatte, seine Schwägerin zu lieben, versagte ihr in diesem ernsten Augenblicke seine Teilnahme nicht.

"Ah ça! ah ça! meine arme Josephe!" wiederholte Friedrich sechsmal nacheinander und schnalzte dabei energisch mit den Fingern. "Ich bedauere nur meine arme Josephe. Sie ist es, die durch diesen Trauerfall am schwersten betroffen wird. Auf wem ruht jetzt die ganze Last der Haushaltung? Wer ist jetzt die Stütze des Vaters? Wer vertritt jetzt Mutterstelle an den jungen Brüdern? Niemand anders als sie – meine arme Josephe!"

Er gab sich eine Weile schweigend seinen Betrachtungen hin und sprach dann mit würdiger Resignation: "Sie stören in der Ausübung so heiliger Pflichten, in diesem Augenblicke mit selbstsüchtigen Absichten vor sie treten, das wäre nicht mehr und nicht weniger als eine Roheit!... Anton, auspacken!" befahl er seinem Diener, der im Nebenzimmer eben damit beschäftigt war, die Koffer zu schließen. Ludwig hatte sich in das Studium des Taschenbuches vertieft und rief plötzlich aus: "Sage mir doch nur, wo ist denn deine Josephe hingekommen? Ich finde sie nicht mehr. Ich finde nur noch einen Joseph, Oberleutnant im 12. Dragonerregiment."

"Ja, du und der Gothaische Almanach!" sprach Friedrich und nahm mit selbstbewußter Kennermiene seinem Bruder das Buch aus der Hand.

Er überflog die betreffende Stelle, er las, er betrachtete, er magnetisierte sie förmlich mit seinen Blicken, aber – auch er fand seine Josephe nicht. Sie war und blieb verschwunden.

"Was soll denn – was soll denn das heißen?" fragte er in großer Bestürzung und antwortete sich selbst endlich: "Es kann nur ein Druckfehler sein!"

Von neuem begann er seine Prüfung: "Hier fehlt das e – es soll stehen Josephe, nicht Joseph. Der Titel Oberleutnant et cetera gehört meinem Schwager Johann, gehört in die nachfolgende Zeile, ist beim Setzen vermutlich nur zufällig hinaufgerutscht..."

"Dieser Schwager", meinte Ludwig, "ist erst sechzehn Jahre alt und sollte schon Oberleutnant sein? Das wäre doch kurios... Bei aller Protektion, die der Bursche genießen mag, doch kurios!... Es hat freilich – lies die Geschichte! – im sechzehnten Jahrhundert einen neunjährigen Bischof von Valencia gegeben..."

"Glaube doch nicht alle diese Klatschereien!" murmelte Friedrich ärgerlich.

"Dennoch", fuhr Ludwig fort, "halte ich einen sechzehnjährigen Oberleutnant, in unserem Zeitalter, für ein Ding der Unmöglichkeit."

Sie begannen zu streiten.

Friedrich aber war nicht bei der Sache; er ließ so manche von Ludwigs verwegensten Behauptungen unangefochten und entgegnete auf einen von dessen tollkühnsten Schlüssen:

"Ein Druckfehler ist's. Man täte gut, die Redaktion davon in Kenntnis zu setzen."

Noch am selben Abend schrieb er vor dem Schlafengehen folgenden Brief:

"Verehrliche Redaktion des Genealogischen Taschenbuches der gräflichen Häuser!

Der Unterzeichnete, ein langjähriger Verehrer und Leser Ihres Almanachs, nimmt sich die Freiheit, Ihnen einen peinlich sinnstörenden Druckfehler zu notifizieren, der sich auf Seite 237 des diesjährigen Jahrganges eingeschlichen hat, indem auf der früher von Gräfin Josephe eingenommenen Zeile ein Oberleutnant im 12. Dragonerregimente steht, der offenbar dahin nicht gehört, wovon Sie sich durch Nachschlagung der drei früheren Jahrgänge zu überzeugen die Freundlichkeit haben und mir eine dringend erbetene Aufklärung mit umgehender Post zukommen lassen wollen. Empfangen Sie usw."

Nach wenigen Tagen erschien die "erbetene Aufklärung". Sie lautete:

"Verehrter Freiherr!

Kein Druckfehler, sondern – eine Berichtigung. Herr Graf von Einzelnau (der unserer Publikation nur sporadisch Beachtung zu schenken scheint) wies erst bei Gelegenheit des uns mitgeteilten Ablebens seiner Frau Gemahlin auf den bedauerlichen Irrtum hin, der sich leider durch drei Jahrgänge unseres Taschenbuches geschlichen hat. Unserseits ersuchen wir Sie, die früheren Jahrgänge des Almanachs nachzuschlagen, in denen Herr Graf Joseph als Kadett, Leutnant usf. eingetragen steht.

Für Ihre Teilnahme dankend, ergreifen wir diese Gelegenheit, um Sie zu bitten, uns jede in Ihrem werten Hause eintretende Veränderung rechtzeitig bekanntzugeben, und zeichnen usw."

Die Brüder saßen am Frühstückstische, als die verhängnisvollen Zeilen eintrafen. Lange, nachdem er sie gelesen, hielt Friedrich dieselben vor sich hin und blickte sie an wie ein Landmann seine verhagelte Saat, wie ein

Künstler sein zerstörtes Werk. Ludwig, der ihn mit ungeduldiger Bestürzung beobachtete, zog ihm endlich das Blatt aus den zitternden, widerstandslosen Händen, überflog es und brach in ein schallendes Gelächter aus. Plötzlich jedoch hielt er inne, hustete und begann sich mit der "Allgemeinen Zeitung" zu beschäftigen.

Friedrich hatte die Pfeife weggelegt, die Arme über die Brust gekreuzt, die Augen niedergeschlagen. Helle Schweißtropfen standen auf seiner Stirn, die so weiß abstach von seinem übrigen sonnverbrannten Gesicht. Ludwig warf besorgte Blicke nach ihm, räusperte sich immer aggressiver, schleuderte die Zeitung zu Boden und schrie wie besessen: "Das bist halt du! So etwas kann nur dir geschehen! Unter den Millionen, welche die Erde bevölkern, nur dir!... Wenn ich schon ein Narr sein und mir meine Braut im Gothaischen Almanach suchen will, so tue ich's wenigstens gründlich, gehe ihr nach bis auf ihre Quelle, bis auf ihren allerersten Ursprung, kenne ihre Vorvorgroßeltern ungeboren! Aber du! –Was du tust, kannst du nur kavaliermäßig tun, das heißt: – lies die Geschichte! – oberflächlich, leichtsinnig, dumm mit einem Wort!... Gedankenlosigkeit und Gedankenfaulheit – das ist es ja! Daran geht ihr zugrunde, du und dein ganzer vernunftverlassener Stand!"

Jetzt erhob sich Friedrich brüllend wie ein angeschossener Löwe. Der Bann seines Schweigens war gelöst, und in dem Kampfe, der sich nun entspann, fand er seine Stärke wieder.

Der Einsturz von Friedrichs Luftschlössern hemmte natürlich den Aufbau von Ludwigs sicherem Hause. Wie konnte einer der Brüder daran denken, sich einen behaglichen Herd zu errichten in einem Augenblicke, in dem der andere vor den Trümmern seines Familienglückes stand? Ludwig verschob die Unterredung mit Frau Kurzmichel auf einen günstigeren Zeitpunkt. In drei, in sechs Monaten, wenn Friedrichs Herzenswunde vernarbt sein würde, dann erst wollte er die eigene Liebesgeschichte mit Eifer betreiben.

Aber – nur zu oft meint der Mensch, über sein Schicksal noch entscheiden zu können, während dieses längst über ihn entschieden hat. Die Erfahrung sollte Ludwig schon am folgenden Sonntage machen.

Da erschien Frau Kurzmichel in großem Staate beim Diner. Sie hatte sich mit ihren berühmtesten Garderobestücken geschmückt: mit ihrem braunen Seidenkleide, dem Hochzeitsgeschenke, das ihr Gatte ihr dargebracht, und mit dem gelben Schal, der noch aus dem Nachlasse der hochseligen Frau Baronin, der Mutter der Freiherren, stammte. Das braune Kleid pflegte die Frau Verwalterin bei jeder feierlichen Gelegenheit anzulegen, den gelben Schal aber nur dann, wenn sie sich in besonders gehobener Stimmung befand. Dies war heute der Fall. Man sah es ihrer verheißungsvollen Miene an, daß sie trotz all der Frische und Originalität, die wie gewöhnlich ihr Gespräch beseelten, das Beste doch, wie der Feuerwerker das Bukett, für den Schluß der Vorstellung versparte.

Beim schwarzen Kaffee erhob sie denn auch unter allgemeinem Schweigen die Stimme und sagte: "Darf ich mir erlauben, Freiherrlichen Gnaden eine Mitteilung zu machen, die zwar nur eine tief- und fernstehende, aber Freiherrlichen Gnaden doch bekannte Persönlichkeit betrifft: indem dieselbe vor einiger Zeit die Gastfreundschaft des herrlichen Wlastowitz genossen hat?"

"Wen meinen Sie?" fragte Friedrich.

"Sie meinen Ihre Nichte Lina Äpelblüh", sprach Ludwig mit dem devinatorischen Instinkte der Liebe. Frau Kurzmichel verneigte sich beistimmend: "Meine Nichte allerdings – allein nicht mehr Äpelblüh, sondern Klempe, da sie sich vor drei Tagen mit Herrn Notar Klempe in K. verehelicht hat."

Ludwig fuhr zusammen, und Friedrich rief:

"Was der Teufel! Mit dem? Mit dem alten Griesgram?"

"Griesgram", berichtigte die Verwalterin, "Griesgram ist ein etwas starker Ausdruck, Herr Baron; ich würde kaum wagen, ihn zu gebrauchen. Der Herr Notar hat allerdings viele – Extremitäten, ist aber ein sehr braver Mann, Herr Baron, und wohlhabend..."

"Darum also", fiel Friedrich geringschätzig ein.

"Nicht darum, Herr Baron – aus Liebe..."

"Aus Liebe?" schrie Ludwig.

"Aus Liebe", wiederholte Frau Kurzmichel, "zu ihren unbemittelten Eltern und ihren neun unversorgten Geschwistern. Drei davon durfte sie gleich mit ins Haus bringen. Das war ihre Bedingung; sonst hätte sie sich wohl geweigert; denn, du lieber Gott, wenn sie ihrem Herzen hätte folgen dürfen dies würde wohl anders – einen andern – ganz andern Gegenstand..." Frau Kurzmichel war bewegt; ihre gewohnte Zurückhaltung verließ sie, und sie schloß, hingerissen von Teilnahme und Rührung: "Ich sollte eigentlich – es ist nicht recht, aber jetzt, wo das Opfer vollbracht ist, alles vorbei, die Pforten der Ehe hinter ihr zugefallen sind..., ihr Herz, Herr Baron – ist hier zurückgeblieben."

"Wie? Wo? In Wlastowitz?" sprach Friedrich betroffen, und Ludwig stand auf und verließ das Zimmer.

"Aber Frau", sagte der Herr Verwalter, "derlei interne Angelegenheiten haben doch kein Interesse für..."

"Frau Kurzmichel", unterbrach ihn Friedrich, der sehr ernst geworden war, "ich wünsche Sie einen Augenblick allein zu sprechen."

Frau Kurzmichel errötete, und ihr Gatte, diskret und taktvoll wie immer, entfernte sich sogleich.

Durch einige Zeit herrschte im Saale eine tiefe Stille. Friedrich rieb sich die Stirn und die Augen, riß unbarmherzig an seinem Schnurrbart und begann endlich: "Können Sie mir sagen... Nun?"

"Befehlen Herr Baron", sprach Frau Kurzmichel.

"Nun ja", er vermied ihre Augen, "sagen Sie mir – genieren Sie sich nicht: Wer ist denn der Gegenstand, Sie wissen, den Ihre Nichte –."

"Herr Baron, diese Frage –", stotterte Frau Kurzmichel, ganz erschrocken über die ihr rätselhafte Wichtigkeit, die Lina Äpelblühs Herzensangelegenheiten für den Freiherrn zu haben schienen.

Nach abermaliger Pause sagte Friedrich mit ganz ungewöhnlich sanfter Stimme: "Ich *bitte* Sie, genieren Sie sich nicht, vertrauen Sie es mir an, Frau Kurzmichel... Wer ist der Gegenstand – Sie wissen..."

"Herr Baron, Sie haben von Vertrauen gesprochen", entgegnete Frau Kurzmichel, beugte die Schultern etwas vor und legte so recht hilflos und jeden Widerstand aufgebend die Hände in den Schoß... "Wenn Sie von Vertrauen sprechen, Herr Baron, da ist es aus, da kann ich nur antworten, ganz schlicht und bündig: Es ist der Amtsschreiber..."

Es war ihm sonderbar zumute. Eigentlich freudig, aber eine getrübtere Freudigkeit kann sich niemand vorstellen. Er atmete tief auf, wie befreit von einer schweren Last, und warf dabei einen Blick voll schmerzlicher Zärtlichkeit nach der Tür, aus der Ludwig soeben getreten war.

"Frau Kurzmichel", sprach er, "wollen Sie mir einen Gefallen erweisen?"

"O, Herr Baron, was irgend in der Macht eines redlichen Weibes..."

"An ein unredliches würde ich mich nicht wenden", fiel Friedrich ein, rückte seinen Stuhl näher zu dem ihren und blickte sie unbeschreiblich gütig und treuherzig an. "Der Gefallen, um den ich Sie bitte, ist: Wenn mein Bruder Sie fragen sollte: An wen hat denn Fräulein Lina ihr Herz verloren?, so antworten Sie: Das ist ein Geheimnis – und, Frau Kurzmichel, Sie sterben lieber, als daß Sie es ihm verraten. Schwören Sie mir das, Frau Kurzmichel?"

"Ich verspreche es", sagte die große Frau und erhob dabei das Haupt wie ein todesmutiger Soldat im Kugelregen: "Versprechen ist Schwur, Herr Baron."

"Warum ich das von Ihnen verlange", versetzte er, "das muß ich Ihnen – nehmen Sie es nicht übel – jetzt und immer verschweigen."

Die Verwalterin erwiderte einfach und edel: "Herr Baron, ich brauche es nicht zu wissen."

Mit ungeheuchelter Bewunderung reichte ihr Friedrich die Hand: "Ich glaube Ihnen, Sie sind brav!" rief er, sich erhebend; "ich sage es immer, Sie haben so etwas – etwas Antikes, Frau Kurzmichel, etwas Römisches."

Frau Kurzmichel verbeugte sich und verließ den Saal; in ihrer Brust wogten unendliche Gefühle.

Friedrich begab sich in die Allee hinter dem Schlosse, wo sein Bruder ohne Hut, heftig gestikulierend, auf und ab stürmte und ihn mit den Worten empfing:

"Alles hin! – und wer ist schuld? Du!... Um deinetwillen hab ich mein Glück versäumt, das meine und das Glück des Mädchens, das mich so ungeheuer geliebt hat..."

"Das dich geliebt hat – ja, ja", wiederholte Friedrich und dachte:

Armer Kerl!

IV

Die Nachbarin, mit der die Freiherren am eifrigsten verkehrten, war Ihre Exzellenz die Frau Kanzlerin von Siebert, Herrin von Perkowitz.

Die Dame führte seit fast einem halben Jahrhundert auf ihrem Gute, dem Vermächtnisse ihres verstorbenen Gatten, ein weises Regiment. Sehr jung Witwe geworden, bewahrte sie sich selbst die Unabhängigkeit und dem Andenken ihres "Herrchens" die Treue. Sie verließ den Wohnsitz nicht mehr, an dem sie einige Jahre mit ihm verlebt hatte, und vermählte sich auch nicht wieder, obwohl es ihr an Gelegenheiten dazu nicht gefehlt hatte.

Perkowitz bildete die östliche Grenze des freiherrlich Gemperleinschen Gutes und trieb eine Remise und drei Felder als eben so viele Keile ins Mark von Wlastowitz hinein. Eine unangenehme Grenze! Eine Grenze, die zeitweilige Reibungen zwischen Nachbarn unvermeidlich macht. Ein verschobener Pfahl, eine schiefgezogene Furche geben auch den Friedfertigsten Anlaß zu Zwistigkeiten und Rivalität. Allein gerade das trug nicht wenig zur Annehmlichkeit des Verkehrs bei, indem es ihm ein prickelndes Interesse verlieh. Die Exzellenz war eine muntere alte Dame von siebzig Jahren, gesellig wie Madame de Tencin, mit welcher Ludwig sie zu vergleichen liebte. Sie fürchtete nichts so sehr wie die Langeweile, bestimmte den Wert der Menschen nach dem Grade der Huldigungen, die sie ihr darbrachten, und forderte von jedermann die eifrigste Anerkennung ihres nicht gewöhnlichen Verstandes. Hingegen begnügte sie sich, ungleich ihrem berühmten Vorbilde, auch mit anspruchslosem Umgang, wußte einen mittelmäßigen Spaß zu würdigen und kümmerte sich nicht im geringsten um den Verdruß derjenigen, auf deren Kosten er gemacht wurde. Sie befaßte sich überhaupt nicht viel mit Rücksicht auf andere und teilte noch die altmodische Anschauung, "ein guter Mensch" sei nur die höfliche Umschreibung für "Schwachkopf".

In den Augen Frau von Sieberts, die sich gewöhnt hatte, auch in wirtschaftlichen Fragen als das Orakel der Gegend zu gelten, waren die "jungen Gemperlein" talentvolle Dilettanten. Sie lachte über die Schwärmerei der Freiherren für ihr Wlastowitz, war aber im Grunde den "feindlichen Brüdern" sehr gewogen. Es ereignete sich nicht selten, daß Friedrich und Ludwig heftig miteinander streitend in Perkowitz erschienen, der Exzellenz die Hand küßten, Fräulein Ruthenstrauch, die Gesellschafterin, und Herrn Scheber, den Sekretär, grüßten, eine Stunde lang weiterstritten, wütend aufsprangen, sich empfahlen und streitend abfuhren.

Die Exzellenz, die während der ganzen Zeit Öl ins Feuer gegossen hatte, indem sie jetzt Friedrich und jetzt Ludwig zurief: "Da haben *Sie* recht!" – "Da haben wieder *Sie* recht!", hielt sich die Seiten vor Lachen.

Herr Scheber wirbelte die Daumen, rückte die Perücke, die immer schief auf seinem gurkenförmigen Kopfe saß, in der Absicht, sie gerade zu richten, noch schiefer, schwitzte sehr, nahm eine Prise Tabak und seufzte: "Das ist aber doch - !"

Die wasserblauen Augen Fräulein Ruthenstrauchs drückten hilflosen Unwillen aus, ihre bleichen Lippen sprachen zitternd: "Ich dachte schon, sie würden einander in die Haare fahren; ich habe alle Farben gespielt..."

"Bilden Sie sich nichts ein!", rief die Exzellenz. "Die interessante Blässe Ihrer Wangen hat die ganze Zeit über nicht die geringste Veränderung gelitten."

Mit innigem Ergötzen an den verstörten Mienen ihrer Untergebenen fuhr sie fort: "Was habt ihr für Nerven, ihr zwei! – Mir hat der Lärm wohlgetan. Man hört doch einmal wieder, was die menschliche Stimme vermag. Solch ein Gespräch reinigt die Luft, ich fühle mich erquickt wie nach einem Gewitter!"

An dem Tage, an dem die Brüder die Entdeckung gemacht hatten, daß sie bereits seit zehn Jahren in Wlastowitz weilten, statteten sie der Exzellenz einen Besuch ab. Die Gesellschaft hatte sich, wie gewöhnlich, in der Salle à terrain versammelt. In der rechten Ecke des Kanapees, das vor dem runden Tische stand, saß die Herrin von Perkowitz; Friedrich und Ludwig hatten auf zwei Armstühlen Platz genommen. Fräulein Ruthenstrauch wickelte in der Fenstervertiefung Seide ab, Sekretär Scheber hatte sich auf den Rand eines dünnbeinigen Sessels niedergelassen, in respektvoller Entfernung von den hochgeborenen Herrschaften und in einer Positur, die die Mitte hielt zwischen Schweben und Sitzen. Er blickte die Freiherren von Zeit zu Zeit verstohlen an und dachte: Was wird es heute geben?

Aber es gab nichts. Die Brüder waren in weicher, melancholischer Stimmung. Die Betrachtung über die rasche Flucht der Zeit, die Friedrich kürzlich angestellt, hatte einen starken Eindruck in seinem und in Ludwigs Gemüt hinterlassen.

Beide waren sich der entschwundenen Jugend, des versäumten Glücks plötzlich bewußt geworden und fühlten sich eigentümlich bewegt.

Die alte Exzellenz schwang vergebens ihre kleine Erisfackel; die Funken, die sonst wie in ein Pulverfaß gefallen wären, fielen jetzt wie in nasses Gras.

"Wissen Eure Exzellenz", sagte Friedrich, "wie lange wir nun schon in Wlastowitz leben? – Zehn Jahre sind's! Ja, seit zehn Jahren genießen wir die Ehre, Ihre Nachbarn zu sein!"

"Erst seit zehn Jahren?" erwiderte sie. "Ich hätte geglaubt, unser Krieg wär schon ein dreißigjähriger."

"So?" – Friedrich ging mit sich zu Rate, ob dies eine Schmeichelei oder das Gegenteil sei. "Sehen Eure Exzellenz!... und ich machte erst kürzlich meinem Bruder die Bemerkung, daß die Zeit doch eigentlich sehr schnell... daß ich fände, daß eigentlich – die Zeit – ach, die Zeit..."

Er wußte nicht mehr, was er sagte, sagte es auch nur noch mechanisch hin und verstummte ganz, bevor er ein Ende seines Satzes gefunden hatte.

Aber wenn die Stimme ihm ausblieb, so führten seine Augen eine um so beredtere Sprache. In Worte übersetzt, würde sie gelautet haben: "O, wie schön!... O, du grundgütiger Himmel, wie teufelsmäßig schön!... Etwas Schöneres kann man sich nicht denken und gibt's nicht!"

Die Augen aller Anwesenden folgten der Richtung seines verzückten Blickes. In der Tür, die zu den Gastzimmern führte, stand eine hohe weibliche Gestalt. Nicht mehr in der ersten, aber, so wahr einem das Herz aufging bei ihrem Anblicke, in der schönsten Blüte. Sie trug ein einfaches weißes Kleid, die prachtvollen kastanienbraunen Haare waren, in schwere Zöpfe geflochten, um den edel geformten Kopf gelegt. In der Hand hielt sie einen Strohhut, Handschuhe und Sonnenschirm, und so eigentümlich geschmackvolle, ja wirklich allerliebste Dinge wie diesen kleinen schwarzen Strohhut, diese schwedischen Handschuhe und diesen Sonnenschirm aus ungebleichter Seide, meinte Friedrich in seinem ganzen Leben nicht gesehen zu haben.

So hatte ich mir meine Josephe vorgestellt! dachte er. Ludwig dachte: Mit der kann sich nicht einmal meine Lina vergleichen, und beide dachten: Kein Traum kann holder sein! Aber sie hat vor diesem voraus, daß sie nicht zerstiebt beim Erwachen, daß man sie auch mit offenen Augen sehen, ja sogar mit ihr sprechen kann.

Als die Exzellenz ihr die Freiherren nannte und dann zu diesen sagte: "Meine Nichte Siebert", verneigte sie sich, lächelte und versicherte auf das liebenswürdigste, daß sie "sehr erfreut" sei.

Sie setzte sich zu ihrer Tante auf das Kanapee, in die linke Ecke, neben der Friedrichs Armstuhl stand.

Der ältere Freiherr begann sogleich mit dem schönen Gaste des Schlosses ein lebhaftes Gespräch, während der jüngere tiefsinnig schwieg und die Dame mit ausbündiger Bewunderung betrachtete.

Der Eindruck, den die Erscheinung dieses entzückenden Wesens auf ihn machte, war um so überwältigender, als er ihn in einem Augenblicke innerer Wehrlosigkeit empfing; in einem Augenblicke der Wehmut, der Reue – der Schwäche mit einem Wort!

Es gibt aber auch Zufälligkeiten im Leben, derart merkwürdig, daß man sie für Winke des Schicksals halten muß, und wäre man weise wie Kant und aufgeklärt wie Voltaire. Ich möchte den sehen, der in der Stunde, in welcher er den Verlust einer guten Gelegenheit betrauert, eine hundertmal bessere fände und nicht ausriefe:

"Fatum! Fatum!"

Was Ludwig betrifft, er meinte die Stimme zu hören, die ihm zurief.- Da hast du's wieder, das Glück – das verloren gewähnte! Und diesmal greifbar genug. Es wohnt in Perkowitz – es ist die Nichte deiner nächsten Nachbarin!

Er beneidete seinen Bruder recht herzlich um die Beredsamkeit, die er entwickelte. Freilich, man muß borniert sein, um vor einem so wunderbaren Wesen mit so hausbackenem Zeuge auszurücken. Es geschah indessen mit hinreißendem Ausdruck. Friedrich sagte: "Solches Wetter im September das ist ein Segen – da reifen die Trauben – da polarisieren die Rüben!" und sah sie dabei mit Blicken an, die sie förmlich einhüllten in Wohlwollen, und neigte sich über ihre Hände, die auf dem Tische lagen und mit den schwedischen Handschuhen spielten, so tief, so tief, daß man meinte, er werde sie gleich küssen.

Die Dame schien sich des Zaubers, den sie ausübte, wohl bewußt. Sie hätte eine deutsche Lustspiel-Naive sein müssen, um nichts davon zu merken; doch wurde sie dadurch nicht übermütig, schien eher ein wenig verlegen, ein bißchen unangenehm berührt.

Wer jedoch die Freiherren mit heller Schadenfreude beobachtete, in wessen Miene sich der Ausdruck des boshaftesten Triumphes spiegelte, das war niemand anders als Ihre Exzellenz.

Vorderhand war ihr jedoch daran gelegen, ihre wahren Gefühle zu verbergen, und plötzlich hub sie mit ihrer lauten, gedehnten Nasenstimme an:

"Ja, was heißt denn das? mein lieber Ludwig? Ich frage Sie schon dreimal, ob Sie Ihre Wolle endlich verkauft haben, und kriege keine Antwort. Was ist denn überhaupt mit euch beiden? Ich weiß nicht, wie ihr mir vorkommt, meiner Treu!... Der eine sitzt da wie Amadis auf dem Armutsfelsen, und der andere... Nehmen Sie sich in acht, Fritz, Sie sehen heute wieder aus, so rot, als sollte Sie gleich der Schlag treffen."

Den Freiherren war zumute, als ob sie durch einen Fußtritt aus dem siebenten Himmel auf die Erde geschleudert worden wären, und zwar dahin, wo sie am miserabelsten ist. Sie hätten in dem Momente die alte Dame ganz gern totgeschlagen.

Diese fuhr fort – "Übrigens haben wir miteinander noch ein Hühnchen zu pflücken. Ich wollte Sie bitten, Ihrem Förster die Erlaubnis zu geben, wenigstens manchmal irgendwo anders als an der Grenze zu jagen."

"Die Erlaubnis?" murmelten die Brüder. "Exzellenz... in der Tat..."

"Als an der Grenze!" wiederholte die Exzellenz scharf und nachdrücklich. "Er patrouilliert Tag und Nacht vor meiner Remise auf und ab und pafft nieder, was sich zeigt – Bock oder Geiß!"

Die Freiherren schrien auf. Die Augen Friedrichs funkelten, und die Ludwigs schossen Blitze. "Ich gebe mein Wort", sprach der letztere, "daß der Förster entlassen ist, wenn mir die Geiß bewiesen wird."

"Er vaziert!" rief die Exzellenz und streckte ihre dürre Hand befehlend aus. "Die Geiß ist vorgestern geschossen worden!"

"Exzellenz!" entgegnete Friedrich, kaum mehr Herr seiner selbst, "ich habe das Stück gesehen, es war ein Bock!"

"Es war eine Geiß!" fiel Ihre Exzellenz mit kalter Bosheit ein, und Friedrich schrie wütend... das heißt, er schickte sich an, wütend zu schreien, doch blieb es bei der Absicht. Ein Blick seiner schönen Nachbarin verwandelte seine Aufregung in Ohnmacht und seinen Groll in Wonne. Sie sah ihn erschrocken an, flüsterte ihm leise flehend zu: "Ich bitte Sie! Haben Sie Nachsicht mit dem Eigensinn des Alters."

- Ich bitte Sie!...

Es klang wie himmlische Musik, hinreißend und unwiderstehlich. Nicht nur beschwichtigt, nein, selig neigte er das Haupt vor Ihrer Exzellenz und sprach mannhaft und begeistert wie ein ritterlicher Märtyrer:

"Wenn Euer Exzellenz befehlen, so war es denn eine Geiß."

"Da haben wir's!" sagte die Tante; die Nichte jedoch legte die Hände wie applaudierend zusammen: "Bravo! Bravo! Sie sind ja außerordentlich liebenswürdig, Baron Gemperlein!"

"In solcher Nähe bemüht man sich wenigstens...", sagte er mit gutmütiger Naivität, und überwältigt von seiner großen, rasch entflammten Sympathie, fügte er hinzu: "Bleiben Sie doch recht lange bei uns, Fräulein!"

Sie hob bei diesem Worte errötend und mit schalkhaft protestierender Miene den Kopf. Schebers Augenbrauen fuhren ihm plötzlich vor Entzücken mitten auf die Stirn; Fräulein Ruthenstrauch stieß in ihrer Fensterecke ein Gekicher aus... Aber die Herrin blickte die beiden Satelliten strafend an. – Schebers Gesicht legte sich sogleich wieder in die gewohnten Angst- und Kummerfalten. Fräulein Ruthenstrauch unterdrückte ihr Gekicher und widerrief es gleichsam durch ein lebhaftes Räuspern.

Die Exzellenz brachte rasch einen neuen Gesprächsgegenstand auf das Tapet und sagte dann, sich an ihren Gast wendend: "Wollen wir den Kaffee im Pavillon trinken, Klara?"

So erfuhren die Brüder, daß die Nichte Frau von Sieberts Klara hieß. Friedrich hatte eine große Freude darüber, begnügte sich aber mit dieser Kenntnis nicht, sondern brachte es, abgefeimt, wie er einmal war, im Laufe des Abends durch geschickt eingeholte Erkundigungen und feingestellte Fragen so weit, daß er erfuhr, Klara sei die Tochter des Schwagers der Kanzlerin, Herrn von Sieberts, Obersten in sächsischen Diensten. Er jubelte über den Erfolg seiner Forschungen. Diesmal wird ihm Ludwig nicht vorwerfen können, daß er sich in ein Phantom verliebt hat, diesmal geht er gründlich, praktisch, besonnen an die Vorbereitungen zu einer künftigen möglichen Werbung.

Der Pavillon, in dem das Abendbrot eingenommen wurde, befand sich auf einer Höhe derjenigen gegenüber, von der aus Schloß Wlastowitz die

Gegend beherrschte. Klara erklärte, es sei wunderhübsch gelegen, nehme sich mit seinen weißen Schornsteinen und seinem hohen französischen Dache sehr freundlich, ja, man könne sogar sagen, imposant aus.

Friedrich meinte ganz beseligt, es käme ihm selbst manchmal so vor. Wlastowitz sei überhaupt ein Aufenthalt, der eigentlich nichts zu wünschen übriglasse... "Eines freilich ausgenommen – eines ja – längst gesucht – nicht gefunden – es fehlt eine..."

"Halt!" unterbrach ihn Klara, "lassen Sie mich raten!"

"Gut, gut, raten Sie... Raten Sie", – wiederholte er leise und blinzelte sie erwartungsvoll an.

"Das wäre eine Kunst, das zu erraten!" sprach die Kanzlerin trocken. "Eine Hausfrau fehlt Ihnen, das weiß ja die ganze Welt."

Klara versicherte, daß sie auf den Gedanken nicht gekommen wäre; sie lachte, sie scherzte, und, harmlos mitlachend, bemerkte Friedrich die Blicke des Einverständnisses nicht, die Tante und Nichte, Sekretär und Gesellschafterin miteinander wechselten.

Ludwigs Angesicht hatte sich verfinstert. Er schämte sich seines Bruders, er mußte sich zusammennehmen, um ihm nicht laut zuzurufen: Man hat dich zum besten! Das aber ging jetzt durchaus nicht an, und so sagte er nur in tadelndem Tone zu Klara:

"Sie besitzen ein sehr heiteres Naturell."

Sie senkte die Augen und sah plötzlich ganz betroffen aus; erst nach einer kleinen Pause antwortete sie: "Ja."

Nur: Ja – aber in dem einen Wörtchen lag das freimütigste Eingeständnis, die liebenswürdigste Reue. Ludwig fühlte sich entwaffnet und sagte, schon freundlicher: "Dazu kann man nur gratulieren!"

"Nicht wahr", sprach sie, "es ist gut, zu den Leuten zu gehören, die Gott danken, daß er neben den tiefsten Schatten das hellste Licht gestellt hat?"

Ein Zitat, nicht gerade neu, allein ganz scharmant angebracht; er mußte ihr seine Anerkennung aussprechen, sie fand eine geistvolle Antwort, und die hohe Meinung, die er sich beim ersten Anblick von ihr gemacht, war wiederhergestellt. Wie so ganz anders als mit seinem Bruder sprach dieses himmlische Wesen mit ihm! Wie gut wußte sie, mit wem sie es jetzt zu tun hatte, wie gründlich ging sie auf seine gediegenen Erörterungen ein! Er bewies ihr das Vertrauen, das ihr Verstand ihm einflößte, indem er die tiefsten Fragen berührte, mit denen sein Geist sich beschäftigte. Er stellte die drei Kardinalpunkte seiner Überzeugungen auf:

1. *Die einzig sittliche Staatsform ist die Republik.*
2. *Es gibt keine persönliche Fortdauer nach dem Tode.*
3. *Die Mutter alles Unheils, das je in die Welt gekommen, ist die Phantasie.*

Friedrich rutschte in peinlicher Verlegenheit auf seinem Sessel hin und her. – Ein so gescheiter Mensch, dieser Ludwig! aber wie man mit Frauen umgeht, davon hat er keine Idee!... Es tut einem leid, Jesus, wirklich leid um ihn...

Die Kanzlerin fragte laut, wieviel Uhr es sei; Fräulein Ruthenstrauch und der Sekretär gähnten durch die Nase. Es begann kühl und dunkel zu werden; die Gesellschaft begab sich nach dem Schlosse zurück. Im Speisezimmer brannten schon die Lichter, und der Bediente trat an Ihre Exzellenz mit der Frage heran, für wie viele Personen gedeckt werden solle... "Gedeckt?... Wozu?...", fiel ihm die Frau vom Hause ins Wort und wandte sich dann mit unverhohlener Ungeduld zu den Freiherren: "Bleiben Sie auch beim Souper?"

Sie wurde nicht verstanden; denn wie aus *einem* Munde versicherten die Brüder, daß sie nicht vermöchten, einer so gütigen Aufforderung zu widerstehen.

"Jetzt dauert mir der Spaß lange genug!" sagte Ihre Exzellenz so laut zur Ruthenstrauch, daß diese erschrak und einen langen Blick auf die Freiherren warf. Unnötige Sorge! Sie sahen und hörten nur die schöne Klara. Das Souper wurde auf- und wieder abgetragen: die hartnäckigen Gäste rührten sich nicht.

Die Kanzlerin gab endlich den Befehl, den Wagen der Freiherren, der längst angespannt war, anzumelden. Da erwachten sie wie aus einem Traume und empfahlen sich – beide so verliebt, wie sie bisher nicht geahnt hatten, daß man es sein könne.

V

Zum ersten Male seit zehn Jahren brachten die Brüder eine schlaflose Nacht zu. Zum ersten Male unterblieb am folgenden Tage der Morgenritt, zum ersten Male frühstückte jeder von ihnen auf seinem Zimmer und streifte dann allein durch Wälder und Fluren. Sie kamen nicht nach Hause zum Mittagessen, worüber Anton Schmidt beinahe in Verzweiflung und die Köchin in solche Aufregung geriet, daß sie eine spanische Windtorte mit Bratensauce statt mit Schokolade übergoß und dem Küchenmädchen, das ihr Versehen zu belächeln wagte, mit sofortiger Entlassung drohte.

Frau Kurzmichel, von den Vorgängen im Schlosse unterrichtet, brachte den Tag in Angst und Sorge zu und wußte keine Antwort auf die unablässig wiederholte Frage ihres Gatten: "Was tun? Was beginnen?"

Angesichts des Unerhörten steht auch der größte Verstand still.

Abends gegen acht Uhr begab sich der Herr Verwalter gewohntermaßen zum Vortrage in das Schloß. Es war darin so still, als würde es nur von Mäusen bewohnt. Anton hatte sich in höchster Angst aufgemacht, um seinen Gebieter zu suchen. Die übrige Dienerschaft saß wispernd und flüsternd in der hellerleuchteten Küche um den warmen Herd.

Kurzmichel durchwanderte vorsichtshalber zuerst die ganze Enfilade. Alles leer, verödet und unheimlich dunkel. Der alte Mann nahm endlich Platz auf dem schwarzen Ledersofa im Vorgemache und wartete, seine Wirtschaftsbücher unter dem Arme. Durch das breite Fenster ihm gegenüber blinkte der Abendstern freundlich herein, während hellgraue Nebel langsam emporstiegen aus den Wiesen im Tale und sich allmählich mit dem schweren Wolkenkranze verbanden, der unbeweglich über den Bergen lag. Kurzmichel begann über alles nachzusinnen, was den Herren begegnet sein konnte, und schreckliche Möglichkeiten stellten sich ihm dar.

Vielleicht waren beide verunglückt – vielleicht nur einer – vielleicht einer durch den anderen... Kurzmichel hat so etwas tausendmal befürchtet bei ihrem Temperament, bei ihrer nie gestillten Kampflust!... Vielleicht war es zum Äußersten gekommen; vielleicht ist jetzt einer der Brüder... Nein, der Gedanke ist nicht auszudenken... Kurzmichel bemüht sich, die entsetzlichen Vorstellungen, die ihn bedrängen, durch eine friedliche Geistestätigkeit zu beschwören, und beginnt halblaut das große Einmaleins herzusagen. Dabei jedoch lauscht er fieberhaft gespannt gegen die Treppe hin, und endlich ist ihm, als ließen sich Schritte auf derselben vernehmen. Sie steigen langsam herauf; die Türe des Vorsaales öffnet sich, um eine imposante Gestalt einzulassen, und die Stimme des Freiherrn Friedrich spricht: "Wer ist da? Warum zündest du die Lampe nicht an, du Esel?"

Der Verwalter fühlt sich durch den "Esel" nicht getroffen; denn sein Herr hält ihn offenbar für den Hausknecht; doch er kann nicht umhin, zu denken, daß die Freiherren diese für jeden Menschen demütigende Bezeichnung doch etwas seltener gebrauchen sollten.

"Ich bin's, Euer Hochwohlgeboren", spricht er; "ich komme, ich erscheine zum Vortrag."

Ein unartikulierter Laut – das Wort "Vortrag" nachgemurmelt mit einem Akzente, als bezeichne es etwas Ungeheuerliches, nie Gehörtes. Friedrich fährt Herrn Kurzmichel an: "Sprechen Sie mit meinem Bruder!" und geht an ihm vorüber in den Saal, dessen Tür er kräftig hinter sich zuschlägt.

Mit meinem Bruder!... Kurzmichel atmet und lebt wieder auf, und als der Hausknecht mit dem brennenden Wachsstock hereinstürzt, die Hängelampe anzündet und forteilt, um weiterhin Licht zu verbreiten, schlägt der Verwalter sich vor die Stirn, als wollte er sie strafen für die tollen Vorstellungen, die sie eben gehegt.

Wieder rasselte die schwere Tür in ihren Angeln, und herein trat Freiherr Ludwig. Er trug den Kopf wie immer hoch und stolz, hatte beide Hände in die Taschen seines langen Überrockes versenkt und schritt gerade so zerstreut wie Friedrich an Herrn Kurzmichel vorüber. "Ich komme zum Vortrage", sprach dieser. "Sprechen Sie mit meinem Bruder!" rief Ludwig, ohne sich aufzuhalten, ohne ihn nur anzusehen, und warf die Salontür noch kräftiger hinter sich zu, als Friedrich getan.

Herr Kurzmichel kannte die barsche Art seiner Herren, wurde aber immer empfindlich durch sie verletzt. Beim Nachhausekommen erklärte er seiner Gattin, man brauche etwas Unangenehmes deshalb noch nicht angenehm zu finden, weil es einem täglich widerfährt. Die treffliche Frau ließ die Richtigkeit dieser Bemerkung gelten und gewährte ihrem Manne den besten Trost, den es gibt: sie bedauerte ihn.

Die Freiherren nahmen das Abendessen schweigend und hastig ein. Nach demselben zündeten sie ihre Zigarren an, rückten beide ihre Stühle vom Tische weg, wandten einander nicht gerade den Rücken, aber doch die Seite zu und starrten hartnäckig in die Luft. Friedrich war der erste, der einen Laut von sich gab, indem er zu murmeln begann: "Sie-bert – Siebert!... Klara Siebert!"

"Was?" fragte Ludwig.

"Gute Familie", fuhr Friedrich fort. "Gehört dem ältesten Adel Sachsens an."

Ludwig entgegnete mit unglaublich sanfter Stimme: "Woher hast du das?"

Sein Bruder sah ihn flüchtig an: "Es ist meine Überzeugung", antwortete er.

"Ich glaube, daß du irrst", sagte Ludwig so sanft wie früher. "Die Siebert sind bürgerlich – Papieradel zählt ja in deinen Augen nicht -, ganz bürgerlich."

Friedrich richtete sich auf, schlug heftig mit der Faust auf den Tisch und rief: "Meinetwegen!"

Es trat eine lange Pause ein. Endlich sprach Ludwig, schwer atmend, allein immer noch mit anbetungswürdiger Ruhe: "Du bist verliebt. Ich bin es auch."

Schmerzlich bejahend, nickte Friedrich mit dem Kopfe. Das Wort überraschte ihn nicht; es war nur die Bestätigung eines ihm bereits bekannten Unglückes.

"Was ist", fuhr Ludwig fort, "müssen Männer den Mut haben, gelten zu lassen. Nicht wahr?"

"Wahr", lautete die Antwort.

"Heiraten aber – kann sie nur einer."

"Auch wahr –."

"Denn – Bruder –" Ludwig stand auf, drückte die Knöchel der geballten Hände auf den Tisch und schien sich anzuschicken, eine längere Rede zu halten. Aber Friedrich hinderte ihn an der Ausführung dieses Vorhabens, indem er sagte: "Lieber Bruder, was sich von selbst versteht, brauchst du mir doch nicht zu erklären."

"Das ist also ausgemacht. Höre ferner – höre mich ferner geduldig an. Kannst du mich ferner geduldig anhören?"

"Ich werde sehen. Rede!"

"Heiraten kann sie nur einer. Jetzt aber kommt die Frage: Welcher?"

"Das ist es ja!" Auch Friedrich stand auf, fuhr sich mit beiden Händen in die Haare und setzte sich wieder nieder.

"Ich habe gefragt: Welcher?" sprach Ludwig – "die Antwort auf diese Frage ist die selbstverständlichste der Welt und lautet: Derjenige, für den sie sich entscheidet... Überlassen wir ihr die Wahl -."

"... Ihr – die Wahl?... ihr die Wahl?... Glaubst du nicht, lieber Bruder, daß sie den wählen wird, der am eifrigsten um sie wirbt? Den, der ihr zuerst seine Hand anbietet?"

"Ich glaube, lieber Bruder, daß sie denjenigen wählen wird, der ihr besser gefällt. Was werben!... Wirbt der, der ihr nicht gefällt, so schlägt sie ihn aus... So schlägt sie ihn aus -" wiederholte er nachdenklich.

Als die Brüder gestern von Perkowitz fortgefahren waren, hatte Ludwig die Überzeugung mitgenommen, bei Klara einen sehr günstigen Eindruck hervorgebracht zu haben. In der schlaflos durchwachsen Nacht jedoch, während des einsam verträumten Tages waren allerlei Zweifel in ihm aufgestiegen. Daß sie seine geistige Überlegenheit über seinen Bruder erkannt habe, blieb ihm ausgemacht. Aber konnte nicht gerade diese Überlegenheit erkältend auf sie wirken? Konnte nicht vielleicht Friedrichs naives und harmloses Wesen ihr sympathischer sein als sein strenges, unbeugsames? Hatte sie sich nicht gesagt: Dir könnte ich Gattin, ihm Herrin werden, und wer weiß es, vielleicht gehört sie zu den Frauen – es soll auch solche geben! -, die lieber herrschen als beherrscht werden...

Der Vorschlag also, den er seinem Bruder machte, Fräulein Klara zwischen ihnen entscheiden zu lassen, kam aus vollkommen ehrlichem Herzen und aus dem redlichen Wunsche, der qualvollen Ungewißheit, in der sie sich befanden, so oder so ein Ende zu machen.

Friedrich jedoch zögerte, dazu ja zu sagen. Er wußte die Antwort im voraus, die Klara geben würde, wenn man ihr die Wahl freistellte; es schien ihm falsch, treulos, hinterlistig, den armen Teufel, den Ludwig, einer sicheren Enttäuschung und Demütigung auszusetzen. Anderseits – wenn man ihm noch so oft wiederholt: Dich nimmt sie nicht! – wird er es glauben?... Ein schwerer Kampf entspann sich in ihm. Er hätte um alles in der Welt ein anderes Auskunftsmittel finden mögen – aber er fand keines, wie sehr er sich auch quälte. So schwieg er, schwieg um so hartnäckiger, je eifriger und beredsamer Ludwig in ihn drang, entweder seinen Vorschlag anzunehmen oder einen besseren zu machen.

Während er so finster, stumm und gepeinigt dasaß, kam sein Jagdhund, legte ihm den Kopf auf das Knie und begann zu winseln. "Marsch!" rief Friedrich, und als das Tier nicht sogleich gehorchte, gab er ihm einen derben Fußtritt. Der Hund stieß einen kurzen heulenden Laut aus und setzte sich in die Fensterecke; frierend, von Zeit zu Zeit leise winselnd, verfolgte er Friedrich fortwährend mit liebevoll flehenden Augen und trommelte vergnügt mit seinem harten Schwanze auf dem Boden, sobald es ihm gelang, einen Blick seines Herrn zu erhaschen. Dieser brummte: "Verwöhntes Vieh!", erhob sich, holte ein Polster vom Kanapee und schleuderte es dem Hunde zu, der es sogleich mit der Schnauze in die Ecke schob und sich darauf niederlegte.

Ludwig aber brauste plötzlich auf: "Herr Gott im Himmel!... Da red ich seit einer halben Stunde in diesen Menschen hinein... Es handelt sich um sein Lebensglück und um meines, und dieser Mensch – spielt mit seinem Hund!..."

Jetzt flammte auch Friedrich auf: "Habe, was du willst!... Gut denn, sie mag wählen! Mir ist's recht. Aber wenn die Wahl getroffen sein wird, dann – ein Feigling, wer dann rekriminiert..."

"Ein erbärmlicher Feigling!" überbot ihn Ludwig. "Der eine heiratet, der andere sieht zu, wie er mit sich fertig wird."

"Seine Sache. Mich kümmert's nicht!"

"Mich noch weniger!"

"Merke dir das!"

Die Freiherren blickten einander erbittert an und stürzten in entgegengesetzten Richtungen aus dem Gemache. So zornig sie auch noch immer waren, empfanden sie es doch als eine Erlösung, endlich wieder ihre Herzen entlastet zu haben von der bedrückenden Qual der Ratlosigkeit.

VI

Am nächsten Tage – die Brüder waren eben von ihrem Morgenritte heimgekehrt – ließ der Herr Verwalter sich bei ihnen melden. Er berichtete, daß der Bote des Amtes Perkowitz soeben im Amte Wlastowitz einen Brief unter der freiherrlich Friedrichschen Adresse hinterlegt habe und...

"Brief –", unterbrach ihn Friedrich, "aus Perkowitz – wo?..."

Kurzmichel übergab einen nett und zierlich gefalteten Zettel und bat, diese Gelegenheit ergreifen zu dürfen, um den gestern versäumten Vortrag...

Aber der Freiherr hörte ihn nicht an. Er hatte das kleine Schreiben hastig aufgebrochen, in höchster Aufregung in allen seinen Taschen nach seinen Augengläsern gesucht – ach! seit einem Jahre konnte er, fatale Geschichte! nicht mehr ohne Augengläser lesen – und war, da er sie nicht fand, mit Riesenschritten in sein Zimmer gestürzt.

"Von wem – der Brief?..." fragte Ludwig dumpf.

"Von Ihrer Exzellenz –."

"Von Ihrer Exzellenz? –", und Ludwig eilte seinem Bruder nach.

"Einladung!" rief ihm dieser zu. "Ihrer Nichte und uns zu Ehren veranstaltetes Gouter im Waldschlößchen Rendezvous!... Ihrer Nichte *und uns*... verstehst du? *und uns!*"

"Aha!" sagte Ludwig und nahm das Briefchen aus Friedrichs Händen. Die Schlußzeilen desselben waren viel merkwürdiger als der Anfang. Friedrich hatte sie in seinem Freudentaumel nur nicht recht angesehen:

"Wir haben Ihnen ein Bekenntnis abzulegen; dann trinken wir Kaffee auf fernere gute Freundschaft."

"Wirklich? Steht das da?" jubelte Friedrich und hüpfte im Zimmer herum wie ein glückliches Kind.

An diesem Tage klagten die Freiherren nicht über die rasche Flucht der Zeit. Eine Stunde lang warteten beide vor dem Schlosse auf den für drei Uhr nachmittags bestellten Wagen. Pünktlich fuhr um diese Zeit die Equipage in den Hof: ein leichter Phaeton, mit Braunen bespannt, die der Kutscher vom Rücksitze aus lenkte. Sobald Friedrich die Pferde erblickte, runzelte er die Stirn. "Die Hannaken?" fragte er, "wer hat befohlen, die Hannaken einzuspannen?"

"Ich!" antwortete Ludwig, schwang sich auf den erhöhten Kutschersitz und ergriff die Zügel. "Steig ein! Nun – so steig doch ein!"

Aber Friedrich blieb neben den Pferden stehen und musterte sie mit gehässigen Blicken. "Mit denen wirst du Parade machen", sprach er.

Die Braunen waren seit Monaten die Veranlassung lebhafter Streitigkeiten zwischen den Freiherren. Ludwig, der, wie Friedrich sagte, von Pferden so viel verstand wie ein Faßbinder von Spitzenklöppeln, hatte sie von einem Bauern ohne Vorwissen seines Bruders gekauft. Als er sie diesem, voll Stolz auf die getroffene Wahl, vorführen ließ, rief Friedrich schon von weitem: "Nichts daran! Gemein!"

"Was gemein? – Nichts ist gemein als der Hochmut. Sie haben Figur!" entgegnete Ludwig.

"Figur – aber kein Blut – und nicht einmal Figur – Beine wie Spinnen – abgeschlagenes Kreuz – Rehhälse – es sind Krampen!"

Ludwig hatte an die Pferde die unsäglichste Sorge und Mühe gewendet, sie in Stroh stellen lassen bis an die Bäuche, mit Hafer vollgestopft – sie longiert, dressiert, eingeführt – alles umsonst! – Sie waren und blieben schlechte Zieher; faul, wenn's vom Stalle, hitzig, wenn's nach Hause ging; schreckhaft, nervös, bodenscheu – nichtsnutz mit einem Worte.

Allein Ludwigs Herz hing an ihnen, ihm gefielen sie, und weil er hoffte, daß sie auch Fräulein Klara gefallen würden, hatte er sie heute einspannen lassen. "Steig nur ein!" wiederholte er, und trotz des innigsten Widerstrebens entschloß sich Friedrich dazu. Schwer genug kam es ihn an! Zu einer Gelegenheit, bei der man sich gern im besten Lichte zeigen möchte, bei der alles an und um einen den Stempel der Solidität und Gediegenheit tragen soll, mit solchem Gespann vorzufahren – dazu gehört etwas!...

Allein er tat's; er gab nach. Der arme Mensch, der Ludwig, dem vermutlich schon in der nächsten Stunde die bitterste Enttäuschung bevorstand, flößte ihm Mitleid ein, und er ließ ihm denn seinen kindischen Willen.

Sie lenkten durch das Dorf. Trotz Friedrichs dringender Warnung verließ Ludwig am Ausgange desselben die Straße und schlug den Feldweg ein. Der war so schlecht als möglich und wurde im Walde, der den nächsten Bergrücken deckte und hier die Perkowitzer Grenze bildete, sogar gefährlich; da folgte er einem Gerinne und stieg bis zur Erreichung der Wasserscheide steil hinan, rechts vom Hochwalde begrenzt, links jäh abfallend gegen den feuchten Wiesengrund. An seiner schmalsten Stelle war freilich ein Geländer angebracht, doch bestand es nur aus halbvermorschten Birkenstämmen und bedeutete viel eher: Nehmt euch in acht! als: Verlaßt euch auf mich!

Gegen alle Erwartungen Friedrichs hielten sich die Braunen heute merkwürdig gut. Sie liefen leicht und munter in gleichmäßigem Trabe vorwärts, als wüßten sie, daß ihnen die ehrenvolle Aufgabe geworden, ihren Herrn in die Arme des Glückes zu führen. Ludwig betrachtete sie liebevoll und ließ es an schmeichelhaften Zurufen nicht fehlen. Sein Gesicht strahlte vor Freude. Jetzt begann es aufwärts zu gehen, die Last des Wagens wurde den Pferden empfindlich fühlbar; plötzlich drückten beide gegen die Stange, und eines stieß das andere mit dem Kopfe an den Hals, als ob sie sagten: Zieh du!

Friedrich, der bisher schweigend, mit gekreuzten Armen neben seinem Bruder gesessen hatte, sprach nun, ganz ruhig zwar, aber außerordentlich wegwerfend: "Kommen nicht hinauf."

"Kommen hinauf!" rief Ludwig.

"Im Schritt schon gar nicht."

"Nun denn, in einem anderen Tempo!" sprach Ludwig und schnalzte mit der Peitsche. Die Pferde sprangen in Galopp ein, und glücklich gelangte man ein Stückchen weiter. Aber nur zu bald erlahmte der Eifer der Hannaken, ein paar Sätze noch, und sie blieben stehen – der Wagen rollte zurück. Friedrich zwinkerte mit den Augen und stieß ein spöttisches "Bravo!" aus. Ludwig strich Rücken und Flanken der Pferde mit wuchtigen Hieben; sie zitterten, schlugen aus und – rührten sich nicht vom Flecke. Der Kutscher stieg ab und schob einen Stein hinter eines der Räder; dabei glitt er aus, fiel, geriet, als er aufspringen wollte, zu nahe an den Wegrand und kugelte den Abhang hinab.

Friedrich lachte, Ludwig fluchte; er warf seinem Bruder die Zügel zu, sprang vom Wagen, schlug wie rasend auf die Braunen los und schrie, vor Wut schäumend: "Bestien!... Umbringen... umbringen könnt man sie!"

Die Tiere, stöhnend unter den Schlägen, die auf sie niederhagelten, bäumten sich, ein Ruck – das gegen den Stein gestemmte Rad krachte, der Wagen stand quer über dem Wege.

Jetzt begann Friedrich die Sache nicht mehr ganz geheuer zu finden. "Du Narr, so warte doch!" rief er und wollte sich von seinem Sitze schwingen; aber Ludwig ließ ihm dazu nicht Zeit. Sinnlos vor Zorn, drang er nur wilder auf die Pferde ein. Die warfen sich zurück, prallten an das Geländer; es brach, und die ganze Equipage schlug den Weg ein, den vor ihr schon der Kutscher genommen hatte.

"Prosit!" knirschte Ludwig; aber im selben Augenblicke blitzte das Bewußtsein dessen, was er getan, mit tödlichem Schrecken in ihm auf, und ein fürchterlicher Schrei entrang sich seiner Brust.

Bleich wie eine Leiche, mit aufgerissenen Augen taumelte er zum Rande des Abhanges hin. Unten lagen die Pferde, in Zügel und Stränge verwickelt, lag der Wagen mit den Rädern in der Luft – von Friedrich war nichts zu sehen.

In verzweifelten Sätzen sprang Ludwig hinunter; der Kutscher kam herbeigehinkt: "Jesus, Maria! Jesus, Maria und Joseph!" winselte er und starrte schreckgelähmt seinen Herrn an, der, aussehend wie ein Toter, die Arbeit von zehn Lebendigen verrichtete.

Er durchschnitt und zerriß die Zügel; als ein Strang sich nicht gleich lösen lassen wollte, schlug er die Wage mit einem Stein in Stücke; er führte einen Faustschlag gegen den Kopf eines der Pferde, welches im Emporringen an den Wagenkasten stieß, daß es zurücktaumelte, als wäre ein Blitzstrahl vor ihm niedergefahren... Nun war der Wagen frei – man sah Friedrich unter demselben liegen, das Gesicht ins Gras gedrückt, das gerötet war von Blut. Ludwig sprang hinzu. Mit Riesenkraft stemmte er sich gegen den Wagen und hob ihn vorsichtig, langsam, half nach mit dem Kopfe, mit den Schultern und schleuderte ihn neben den Mann hin, der bis jetzt seine ganze Last getragen.

Dieser Mann aber atmete tief auf – er lebte!... Ludwig wollte sich zu ihm niederbeugen, die Arme ausstrecken – sie sanken ihm, seine Knie wankten;

statt des Namens, den er auszusprechen suchte, drang nur ein gepreßtes Stöhnen aus seinem Munde... Plötzlich hob sich Friedrich auf ein Knie empor; er wischte rasch mit der Hand das Blut ab, das ihm von der Stirn über die Augen floß, sah Ludwig vor sich stehen und –:

"Da hast du's! Es geschieht dir recht!" rief er mit einer Stimme, die keinen Zweifel darüber aufkommen ließ, daß der kräftige Gemperleinsche Brustkasten dem erlittenen Schock siegreich widerstanden hatte. Er richtete sich auf, schüttelte sich, pustete, deutete auf die jämmerlich zerschundenen, mit Blut und Schmutz bedeckten Pferde und sprach: "Die sehen schön aus!"

Ludwig blieb noch immer unbeweglich. Die Augen glühten ihm unter den geschwollenen Deckeln und waren auf seinen Bruder geheftet mit einem Ausdrucke von Wonne und von unaussprechlicher Liebe. "Ist dir nichts?" fragte er heiser und tonlos. Jetzt sah sich Friedrich den Menschen erst recht an; ein erstauntes und mitleidiges Lächeln glitt über sein Gesicht, er zog das Taschentuch hervor, drückte es an die Stirnwunde und murmelte etwas, das man nicht deutlich verstehen konnte, doch soll das Wort "Esel" darin vorgekommen sein. Dann erfaßte er einen der Hannaken bei dem Zügelreste, der am Kopfgestell hängengeblieben war, und kletterte mit dem erschöpften, bei jedem Schritte stolpernden Tiere die steile Anhöhe hinauf – etwas langsamer, als es an einem anderen Tage geschehen wäre. Der Kutscher folgte mit dem zweiten Pferde; zuletzt kam Ludwig, gesenkten Hauptes, mit einer zerbrochenen Wagenlaterne in der Hand, die er mechanisch aufgehoben hatte und festhielt. Schweigend zog die kleine Karawane eine halbe Stunde später in Wlastowitz ein. Die Pferde wurden in den Stall geführt; dort traf man Anstalten, den im Tobel zurückgebliebenen Wagen abzuholen.

Friedrich meinte, Ludwig solle sich nur rasch umkleiden und gleich hinüberreiten nach Rendezvous; er selbst werde in einer halben Stunde nachkommen. "Es wäre gescheiter, du gingest heim und machtest dir Eisumschläge", sagte Ludwig.

Friedrich entgegnete sehr barsch, er sei keine Wöchnerin. Sie zankten ein weniges und gingen dann ins Schloß und jeder auf sein Zimmer.

Zehn Minuten später trabte Ludwigs Reitknecht nach Rendezvous, einen Brief seines Herrn an Fräulein Klara von Siebert in der Tasche. Ludwig blieb zu Hause. Er schritt rastlos in seinen Gemächern auf und ab; in seinem Kopfe ging es zu wie in einem Pochwerk. Jede Ader schlug fieberhaft, jeder Gedanke, den das siedende Hirn gebar, war Wirrsal, Qual und Pein! Ein Gedanke – der schlimmste erdrückte alle anderen: Du hast das Leben deines Bruders gefährdet!... Wieviel hat gefehlt, und du wärst jetzt ein Mörder!...

Die Glocke rief zum Souper. Er ging in den Speisesaal, wo ihn Friedrich bereits erwartete. Dieser aß mit gutem Appetit; man sprach, rauchte, disputierte sogar – aber das alles ohne rechte Freude... Das Herz war nicht dabei.

Viel früher als gewöhnlich stand Ludwig auf und sagte: "Gute Nacht – !" Er hätte so gern hinzugefügt: "Schlaf gut!" oder noch einmal gefragt: "Ist dir nichts?" Aber Friedrich würde sich geärgert oder ihn ausgelacht haben; so ließ er's bleiben und ging schweigend aus dem Saale.

Friedrich sah ihm lange wehmütig nach. Seine Augen füllten sich mit Tränen. "Armer Kerl!" murmelte er leise. Er stützte gedankenvoll den Kopf in die Hände und verharrte so eine geraume Zeit.

Als er sich endlich erhob und mit entschlossenen Schritten sein Zimmer betrat, leuchtete auf seinem Antlitze der Strahl einer hohen und stolzen Freude über einen großen Sieg – einen Sieg der edelsten Selbstverleugnung und des reinsten Opfermutes. So spät es auch war, sandte Friedrich noch an diesem Abend durch einen reitenden Boten ein Schreiben an Ihre Exzellenz, Frau von Siebert, nach Perkowitz.

Indessen saß Ludwig an seinem Schreibtische und schrieb in schwungvollen Zügen, langsam und feierlich, sein Testament. Er ernannte darin seinen Bruder, den Freiherrn Friedrich von Gemperlein, zum Erben seines gesamten Hab und Gutes, falls er (Ludwig) unvermählt und kinderlos bleiben sollte, was, fügte er hinzu, vermutlich geschehen dürfte. Den Schluß des Aktenstückes bildeten die Worte: "Ich wünsche, wo immer ich sterbe, in Wlastowitz begraben zu werden."

Nach getanem Werke fühlte Ludwig sich etwas ruhiger. Dennoch duldete es ihn nicht länger in der stillen Stube; es trieb ihn hinaus in die atmende Natur, in die freie, kalte Luft. Die Nacht war dunkel, nur einzelne Sterne glitzerten am Himmel, der Wind rauschte in den Bäumen und trieb die dürren Blätter über den weißlich schimmernden Sand der Wege und knisterte in den tiefschwarzen Massen der Gebüsche.

Ludwig ging mit festen Schritten vorwärts. Noch einmal wollte er jeden Weg im Garten betreten und jeden Lieblingsbaum begrüßt haben, bevor er, schweren Herzens, Abschied nahm.

Dich zuerst, alte Edeltanne auf der Wiese, die letzte von zehn aus dem Walde verpflanzten Schwestern. Hattest lange gekränkelt und ragst jetzt so stolz in der Fülle der Gesundheit. Dich, du edler Walnußbaum, an dem Friedrich nie vorübergeht, ohne zu sagen: "Das ist ein Baum!..." Dann die Araucaria in der Nähe des Lärchenwäldchens – Respekt vor der! Ein Nadelbaum mit Palmennatur – nordische Kraft, vereint mit südlicher Schöne – es ist ein Wunder!... Und du, Zeder vom Libanon, junges, schönstes Fräulein, hast einen grünsamtnen Reifrock an, und die neuen zarten Triebe schmücken deinen Wipfel wie Federn das anmutigste Haupt. Endlich der Zürgelbaum. Ein Nichtkenner geht wohl an ihm vorbei und meint, der gehöre zu der Gattung, die Äpfel trägt – aber der Kenner, ja, der reißt die Augen auf. Der bewundert den moosbedeckten eisengrauen Stamm, die schlanken Zweige mit den Ästchen so fein wie Draht, die kleinen, seidenweichen Blätter. "Im Botanischen Garten in Schönbrunn gibt's schönere Zürgelbäume, sonst nirgends!" sagt Friedrich.

Hast recht! – Schöneres mag es geben draußen in der Welt, aber nichts Lieberes, als was hier gedeiht, lebt, blüht und welkt. Schade, schade, daß man es verlassen muß. Aber unter den Umständen, die jetzt – wie bald! – eintreten werden, kann Ludwig in Wlastowitz nicht mehr leben.

Er ersteigt noch die Anhöhe am Ende des Gartens, von der aus man hinüberblicken kann auf die Gruftkapelle, die sein Vater errichten ließ. Durch das Gitter des Fensters glänzt ein kleiner, feuriger Punkt, das Licht der Lampe, die über dem Sarge des Vaters brennt – des ersten, der hier ruht.

Ein trauriges Lächeln tritt auf die Lippen Ludwigs; er freut sich, daß er in seinem Testamente den Wunsch ausgesprochen hat, in Wlastowitz begraben zu werden. Friedrich wird schon verstehen, was das heißt... Ich kehre zurück, heißt es, zu dir, dem ich so oft wehgetan, dessen Leben ich sogar einmal in Gefahr gebracht – den ich aber doch innigst geliebt habe.

Ganz ruhig, beinahe heiter kam Ludwig nach Hause. Die Fenster von Friedrichs Schlafzimmer waren noch erleuchtet, und an den Gardinen glitt in unregelmäßigen Zwischenräumen ein hoher, dunkler Schatten vorüber. "Auch du wachst – von Sorgen und bangen Zweifeln gequält. Warte! warte! – Nur noch ein paar Stunden, und du wirst glücklich sein!"

Um elf Uhr morgens stieg am folgenden Tage Ludwig vor dem Tore des Schlosses Perkowitz vom Pferde. Ein Diener, der ihn erwartet zu haben schien, führte ihn sogleich durch die Salle à terrain zu der Tür des Gastzimmers, aus dem vorgestern Fräulein Klara wie eine himmlische Erscheinung getreten war. Der Diener pochte; eine teuere Stimme fragte: "Wer ist's?" und rief, als der Name des Besuchers genannt worden: "Ist willkommen!"

Ludwig stand vor der schönen Klara so beklommen und bewegt, daß es ihm unmöglich war, ein Wort hervorzubringen. Auch sie blieb nicht unbefangen. Der muntere Ton, in dem sie Ludwig gebeten hatte, Platz zu nehmen, verwandelte sich nach dem ersten Blicke in das Angesicht des Freiherrn in einen sehr gedrückten.

Sie senkte die Augen, eine leichte Blässe flog über ihre Wangen, und sie sprach stockend: "Herr Baron – es ist – ich bitte..."

Ihre Verlegenheit rührte und ergriff ihn auf das tiefste. Ach, die grausame Sitte! Daß sie unerlaubten Empfindungen verbietet, sich zu äußern, das wäre schon recht; daß aber die reinsten, die ein Mensch haben kann, unausgesprochen bleiben müssen, das ist jammervoll! Hätte Ludwig in diesem Augenblick seinem Gefühle folgen dürfen, er würde die Arme ausgebreitet und gesprochen haben: "Komm an mein Herz – liebe Schwester!"

Aber das schickte sich nun einmal nicht, und so reichte er ihr nur die Hand und sagte: "Ich habe mir die Freiheit genommen, Sie um ein Gespräch unter vier Augen zu bitten..."

"Ja, ja", unterbrach sie ihn hastig, "in einem Briefe, den ich eröffnete, obwohl er eigentlich nicht an mich gerichtet war."

"Wie?"

"Ich heiße nämlich nicht Fräulein –."

"O", rief er, "es handelt sich nicht darum, wie Sie heißen. Heißen Sie, wie Sie wollen. Sie sind die Nichte unserer verehrten Freundin und das liebenswürdigste Wesen, das uns je vorgekommen ist. Sie sind gewiß auch edel und gut und werden das Vertrauen nicht mißbrauchen, das mich zu Ihnen führt und mit dem ich Ihnen sage: Sie haben auf den besten Menschen, den es gibt, einen großen Eindruck gemacht – auf meinen Bruder, Fräulein. – Ich komme hierher ohne sein Vorwissen, in der Absicht, Sie günstig für ihn zu stimmen. Ich meine es mit Ihnen nicht minder ehrlich als mit ihm und beschwöre Sie in Ihrem eigenen Interesse: Lassen Sie sich seine Werbung gefallen..."

Er sprach mit solchem Eifer, daß es ihr, wie oft sie es auch versuchte, nicht gelang, ihn zu unterbrechen. Als er nun schloß: "Versäumen Sie die Gelegenheit nicht, die glücklichste Frau der Welt zu werden!", gab ihre Ungeduld ihr den Mut, mit Entschlossenheit zu sagen: "Diese Gelegenheit ist aber schon versäumt, Herr Baron: ich bin verheiratet!"

Er fuhr von seinem Sessel auf mit einem Entsetzen, das sich nicht schildern läßt. "Sie scherzen", stammelte er; "das kann nicht sein – das ist ja unmöglich!"

"Warum?" fragte sie. "So gut wie Ihr Herr Bruder kann auch ein anderer mich annehmbar gefunden haben, zum Beispiel mein Vetter Karl Siebert, der mich vor etlichen Jahren heimgeführt. Warum glauben Sie, daß ich bis jetzt sitzengeblieben sei? Denn, erlauben Sie mir, für ein Fräulein wäre ich doch etwas bejahrt."

Ludwig blickte sie wehmütig an und sprach: "So schön, so liebenswürdig, so geistvoll und schon verheiratet!"

"Und wenn Sie wüßten, wie lange!" versetzte sie, und all ihre Munterkeit und ihr guter Humor hatten sich wieder eingefunden.

"Entschuldigen Sie, gnädige Frau", sagte Ludwig; "es wäre besser gewesen, wenn Sie die Gewogenheit gehabt hätten, uns das früher mitzuteilen."

"Haben Sie danach gefragt? Mit welchem Rechte durfte ich Sie mit meinen Familienangelegenheiten behelligen?" war ihre schlagfertige Entgegnung.

Er sagte nur noch: "O gnädige Frau!" und empfahl sich ehrerbietig; ihr aber – seltsam! -, ihr verging dabei ganz und gar die Lust, über den sonderbaren Herrn zu lachen.

Sie eilte ihm nach, erreichte ihn, als er eben die Schwelle betrat, und sagte herzlich und warm: "Leben Sie wohl, Herr von Gemperlein!" Sie bot ihm zum Abschied die Hand. Ludwig wandte den Kopf und tat, als ob er es nicht sähe; er grüßte nur noch einmal tief, und die Tür schloß sich hinter ihm.

Im Vestibül kam, aus ihrem zu ebener Erde gelegenen Schreibzimmer tretend, Frau von Siebert dem Freiherrn entgegen.

"Ja, was machen Sie denn hier?" fragte die Exzellenz. "Warum kommen Sie denn selbst? Ihr Abgesandter hat schon Bescheid erhalten."

"Wen meinen Euer Exzellenz?"

"Den Fritz mein ich. Er war da vor einer halben Stunde – als Freiwerber für Sie."

"Für mich?"

"Und was für einer! Wenn Sie einmal wieder heiraten wollen – sprechen Sie ja nicht selbst – lassen Sie den Fritz für Sie sprechen. Ich war ganz erschüttert – bedauerte nicht wenig, sagen zu müssen: Es ist zu spät!"

Ludwig faßte sich mit beiden Händen an den Kopf: "Dieser Friedrich! Das ist ein Mensch!" rief er.

Aus seiner Stimme klang eine so mächtige Rührung, daß die Exzellenz förmlich davon ergriffen wurde; sie suchte sich der ihr unangenehmen Empfindung rasch zu entziehen, trat dicht vor Ludwig hin, zupfte ihn am Ohr und sagte: "Nichts für ungut! Fast tut's mir leid, daß wir euch den Streich spielten. Die Klara wollte ohnehin nicht dran; aber ich habe sie gezwungen, ich mußte Rache haben für meine Geiß."

"Euer Exzellenz!" entgegnete Ludwig, "ich kann ihnen die Versicherung geben: es war ein Bock."

"Mag es gewesen sein, was immer – das Jagdvergnügen an meiner Grenze will ich eurem Förster versalzen."

Damit schieden sie.

Ein paar Monate nach diesem Ereignisse begannen die Brüder abermals allerlei Heiratsprojekte zu schmieden.

"Du solltest doch endlich heiraten!" sagte von Zeit zu Zeit einer zu dem andern. Sie stellten manchmal Betrachtungen über ihr Schicksal an.

"Es ist wirklich sonderbar", meinte Ludwig. "Als ich mit der Äpelblüh Ernst machen wollte, trat sie gerade an den Traualtar, und als wir daran dachten, jene Nichte zu unserer Hausfrau zu machen, war sie bereits seit zehn oder wieviel Jahren verheiratet, und ich müßte mich sehr irren", fügte er geheimnisvoll hinzu, "wenn sie nicht auch schon Nachkommenschaft besaß."

Friedrich bemerkte, daß sich im Leben, mit mehr oder weniger Unterschied, doch alles wiederhole. Sie seien einmal bestimmt, die erstaunlichsten Liebesabenteuer zu haben; unter den vielen, die ihnen noch bevorständen, werde sich schon dasjenige finden, das in den Hafen der Ehe führt.

Trotz dieser Voraussicht und trotz des guten Vorsatzes, ihren Stamm in Ehren zu erhalten, hat keiner der Brüder sich vermählt. Sie sind hinübergegangen, ohne einen Erben ihres Namens zu hinterlassen, und so ist denn, wie so vieles Schöne auf dieser Erde, auch das alte Geschlecht derer von Gemperlein – erloschen.

Der gute Mond

Vor vierzehn Tagen haben wir ihn zur letzten Ruhestätte begleitet: Herr Franz von Meyer, Herr Joseph von Müller und ich, Johann Ritter von Schmidt.

Ja, er ist tot, der gute Mond; nun gibt es keinen Königrufer mehr, und sind wir reduziert auf einen Tapper. Einen anderen Stammgast des "Blauen Raben" einzuladen, den leer gewordenen Stuhl des Freundes zu besetzen ist uns nicht eingefallen, so viele Prätendenten sich derohalber auch direkt und indirekt bei uns gemeldet und so anständige Leute es auch waren, an denen unser Städtchen überhaupt, zu seiner Ehre sei es gesagt, keinen Mangel leidet. Der Platz, den der gute Mond durch neunzehn Jahre allabendlich drei Stunden lang eingenommen hat, ist infolge des hohen Alters seines Inhabers und des Ratschlusses der ewigen Vorsehung leer geworden und soll denn leer bleiben. Was die Erinnerung an den Verblichenen betrifft, so wird sie uns niemals entschwinden, und werden wir die Geschichte, die er am liebsten erzählte, niemals vergessen. Aber derweil sie noch frisch in uns lebt und seine Ausdrucksweise uns auch noch ganz geläufig ist, habe ich, der ich mich des besten Gedächtnisses erfreue und auch ziemlich gut in der Feder bin, es unternommen, dieselbe aufzuschreiben. Bin mir dabei wohl bewußt, daß die Hauptursache des Eindrucks, den die Geschichte auf uns machte, in dem Mangel an Übereinstimmung lag zwischen dem, was der Erzähler von sich selbst, und dem, was seine Erzählung von ihm aussagte.

Kaum wird es, soweit die Erde rund ist, einen Mann geben, der sich in einer Lage wie diejenige, in welche er versetzt wurde, mit ähnlicher Selbstbeherrschung und Zartheit benommen hätte. Daß er trotzdem immer auf sein derbes und brüskes Wesen zurückkam und es ihm nie einfiel, daß er auch anders hätte handeln können, als er gehandelt hat, das eben war es, was uns jenen oben angezogenen, seltsamen und rührenden Eindruck machte.

Ob dies beim Lesen in gleichem Maße der Fall sein wird, muß ich dahingestellt sein lassen; genug, daß ich mich der größten Treue in der Wiedergabe der Worte unseres Freundes befleißige.

Das Titelblatt zu dem Manuskript anzufertigen hat Herr von Müller sich bereit erklärt, und es wird den Verewigten vorstellen, wie er beim Tarock sitzt, mit seiner rosigen, etwas ins Karmoisinene spielenden Gesichtsfarbe und seinen schneeweißen Haaren.

Die Frau von Meyer, die eine gute Hausfrau und sehr praktisch ist, hat ihn immer verglichen mit einer zur Hälfte gezuckerten Erdbeere, und die Frau von Müller, die mehr poetisch fühlt und zur Schwärmerei neigt, wurde stets durch ihn an einen beschneiten Rosenhügel gemahnt. Dies in Parenthese.

Der Herr von Meyer spitzt schon ein Bund Gänsekiele – da er sich absolut nicht zur Stahlfeder bequemen will – zu einer kalligraphischen Abschrift.

Jedermann weiß, daß die schlechtesten Witze von den Jägern und von den Kartenspielern gemacht werden, und so war es denn auch ein schlechter Witz von uns, daß wir ihn den guten Mond nannten. Mond, weil er diese Karte so oft in die Hand bekam, und den guten, weil er mit ihr statt den anderen sich selbst einen Schaden zufügte, sintemalen er sie sehr oft vom Sküs fangen ließ. Sein wirklicher Name war Franz Edler von Bauer, und er hatte ein ansehnliches Gut besessen, das er bis in sein siebzigstes Jahr ausgezeichnet verwaltete. Als er jedoch seine Kräfte schwinden und sich nicht mehr recht fähig fühlte, die Wirtschaft mit der gewohnten Energie und Genauigkeit zu führen, und vielleicht auch aus anderen Gründen, verkaufte er die Besitzung und zog ins Städtchen, wo er bald zu sterben gedachte. Dieses traf jedoch lange nicht ein, und er brachte es zu einem Alter, das ihn berechtigte, uns, die wir sämtlich zwischen dem fünften und dem sechsten Jahrzehnt herumhüpfen, per grüne Grasteufel und rote Erdzeisel zu traktieren. Verheiratet war er gewesen und nicht gewesen. Aber – das ist eben die Geschichte, und die beginnt somit.

Es ist so lange her, daß ich mich nicht zu genieren brauche, sondern aufrichtig sagen darf: wir sind ein paar schöne Leute gewesen, mein Vetter Franz und ich. Franz! Ihr wißt schon, wir führten denselben Familien- und denselben Taufnamen, und er war ein einziger Sohn wie ich, und wir haben einander auch im Äußeren ähnlich gesehen. Beide blond mit blauen Augen, stattlichen Nasen und Vollbärten, nur daß bei ihm alles in die

Länge und bei mir in die Breite ging. Und er so fein! Ach, was war euch dieser Mensch so fein! Ich habe nie einen so feinen Menschen gesehen... Ich dafür immer mehr brüsk, aber sonst – ganz ähnlich.

Meine Eltern starben früh, setzten mir einen schläfrigen Vormund, der mein Interesse nicht zu wahren verstand, und weil ich als Bub schon auf mein Interesse war wie der Teufel, kümmerte ich mich selbst um meine Sache und dirigierte und kommandierte bereits als ein Unmündiger bei mir herum. Zeit hatte ich dazu; damals verdummten und verweichlichten die jungen Leute noch nicht wie jetzt auf der Schulbank. Bei meinem lieben Vetter und Nachbar ging's anders zu; seine Eltern trieben Abgötterei mit ihm und hätschelten ihn, als ob er eine brustkranke Prinzessin gewesen wäre. Wenn er ein Gewehr in die Hand nahm, wurden sie blaß, und wenn er junge Pferde zuritt oder einführte, beteten sie für ihn. Wenn er aber ein Gedicht machte – denn er machte Gedichte; ja, Gedichte in Versen, und die Verse reimten sich sogar – und wenn er die Poesie dem Papa oder der Mama am Geburtstag oder Namenstag unter die Serviette legte, da weinten sie vor Freude. Kurz, die Aufgabe ihres Lebens war, den Sohn zu verzärteln, und als sie dieselbe fertiggebracht hatten, verließen sie ihn – just, da sie ihm am nötigsten gewesen wären, dem unerfahrenen und unschuldigen Kind von fünfundzwanzig Jahren. Die Mutter wurde plötzlich von einem Herzschlag hinweggerafft, der Vater folgte ihr bald nach – aus Sehnsucht, meiner Treu. Auf dem Totenbett empfahl er mir den Sohn und das Gut, das, wie gesagt, an das meine grenzte. Da hatte ich ihn auf dem Hals und die Ehre, alle Tage mit ihm auf den Friedhof zu laufen zu den Gräbern seiner Eltern, die er mit Kränzen schmückte und mit sentimentalen Inschriften. Und nach Dresden ist er gereist und hat bei einem berühmten Bildhauer einen Engel machen lassen, der seine Züge trug. Sie können denken, was das gekostet hat – mich nämlich; erst die Statue und dann der weite Transport von Dresden bis herunter zu uns nach Siebenbürgen. Aber dafür welch ein Aufsehen! Von weit und breit kamen die Leute aus der Nachbarschaft, den schönen Grabesengel zu sehen und die Inschriften zu lesen, und was jung war und eine Frau oder ein Fräulein, das verliebte sich in das Urbild des Engels und in den Urheber der Inschriften.

Es regnete nur so Einladungen und Briefchen, und er hatte bald eine Korrespondenz wie ein Minister. Was mir recht war, denn es zerstreute ihn doch. Und Partien hätte er machen können – prächtige! und hätte nur die Wahl gehabt zwischen einem halben Dutzend Erbtöchtern. Aber diese Unentschlossenheit und Zaghaftigkeit und dieses Nichtwissen, in welche er verliebt war!... Heute schien es ihm die und morgen jene, und wenn ich es mir einfallen ließ, auch einmal der oder jener die Cour zu schneiden, dann fühlte er sich tief gekränkt, und dann wäre gerade diese die eine und einzige gewesen, die ihm gefallen und gepaßt hätte. So, daß ich richtig immer zurücktreten mußte, wenn ich eben anfing Feuer zu fangen. Wenn ich aber sagte: "Gut, so bewirb du dich", machte er den Großartigen und rief, er brauche keine Opfer, und jetzt sei ihm die Freude schon verdorben, und deklamierte etwas von einem kalt gewordenen Bissen auf Cäsars Teller.

Um seine Besitzung kümmerte er sich gerade soviel, um zu bemerken, daß sie ihm nichts eintrug. Hat auch nicht anders sein können, die Regie fraß ihn auf. Ich war mein eigener Verwalter, Förster, Stallmeister und Barbier. Er hat für das kleinste Amt einen eigenen Menschen besoldet und wäre dabei weiß Gott wie oft zugrunde gegangen, wenn ich nicht ausgeholfen hätte. Was ist mir anderes übriggeblieben? War es aber geschehen, das beruhigte ihn mitnichten, da ging erst das Wimmern los, daß seine Verpflichtungen gegen mich ihn niederdrückten. Um nur sein Lamentieren nicht hören zu müssen, habe ich die dummen Quittungen, die er mir aufnötigte, mehr als einmal vor seinen Augen zerrissen.

Einige Jahre ging es so fort, er näherte sich schon seinem dreißigsten, da geriet euch der Mensch in die Bande einer koketten Frau. Hochgebildet, wie bereits ihr Taufname Aglaja verriet. Ich tat, was ich konnte, um ihn loszumachen, aber es wollte mir nicht gelingen, die Dame hielt ihn fest mit schmachtenden Blicken und mit geistreichen Gesprächen. Mit Absicht machte ich mich zum unwillkommenen Dritten in ihrem zarten Bunde, scherte mich nicht um die üble Laune, mit der sie mich merken ließen, daß ich überflüssig sei, und langweilte mich wie ein Toter bei ihren Konversationen. Sie warfen herum mit Namen wie Schopenhauer, Eliot, Sand, Chopin, und ich hatte keine Idee, ob von Männlein oder Fräulein die Rede war.

Nun denn! Dieser schwärmerische Umgang und seine vielen Sorgen wegen seiner Mißwirtschaft und seine innere Friedlosigkeit und – glauben sie mir – hauptsächlich sein ewiges Dichten brachten ihn endlich so herab, daß der Arzt ihn zur Nervenstärkung ins Bad schickte. Drei Wochen war er dort, da bekam ich einen Brief von ihm, wißt ihr, so einen, den man meint nur mit der Feuerzange anrühren zu können, so einen, bei dem man staunt, daß das Papier dem Glutstrom widerstanden hat und nicht in Flammen aufgegangen ist.

Der Franz ist verliebt wie ein Italiener aus der Gegend des Vesuvs, wo sie am hitzigsten sind. In ein blutjunges Fräulein, das er in dem Badeorte kennengelernt hat. Er ist auch schon verlobt, die Hochzeit wird im nächsten Monat gefeiert, auf dem Gut der alten Tante, der einzigen, weiblichen Verwandten der "göttlichen Kleinen", männliche hat sie gar keine. Ich weiß nicht, warum es mir, wie ich das gelesen habe, gleich durch den Kopf gefahren ist: Du armes schutzloses Ding. Am Schluß des Briefes teilt mir der Mensch noch mit, daß er in acht Tagen nach Haus kommt, um seine Angelegenheiten zu ordnen (o weh! denk ich und schau meine eiserne Geldkasse im Winkel recht traurig an), in vierzehn Tagen aber wieder abreisen wird, zu ihr! seiner Sonne, seiner Wonne, seinem weißen Schäfchen, seiner Taube. Und ganz am Schlusse heißt es: "Tiefstes Schweigen! Aglaja darf um Gottes willen nichts erfahren, bevor die Hochzeit vorüber ist."

Das gefällt mir nicht, ich tu ihm aber den Willen, halte mein Maul und erkundige mich *sub rosa* nach den Verhältnissen der Braut. Alles in Ordnung, alles sehr anständig, nur im Geldpunkt, da hapert's. Das Gut der Tante (es hieß Folt, lag an der Grenze des Banats und war viel wert) kriegt die Kleine nicht, das hat die Tante einem Kloster verschrieben, in das sie eintreten will, sobald die Nichte angebracht sein wird.

Aus den acht Tagen, nach denen Franz heimkehren wollte, werden vierzehn. Er hat sich nicht losreißen können von der Geliebten, dunkle Ahnungen haben ihn bedrängt, und beim Abschied, den er für ein paar Wochen genommen, ist ihm gewesen, als sei es ein Abschied für immer. Ich lache ihn aus, ihn und seine Nerven, und meine nichts Besseres tun zu können, als ihn aufzumuntern, sein Haus herzurichten zum Empfang der jungen Frau. Aber da geht der sentimentale Teufel in ihm erst recht los.

Auf Tritt und Schritt begegnen ihm Erinnerungen an seine "goldene Jung-gesellenzeit". Trockene Blumen und Lorbeerkränze mit seidenen Bändern und Widmungen, gestickte Pantoffeln und Kissen und Schlafsessel... mir ein Graus, das Zeug. Um jedes Stück, das ich vernichten oder verschenken wollte, feilschte er, und als ich über die Kassette kam, in welcher Aglajas Briefe lagen, in Paketen zusammengebunden mit rosafarbenen Schleifen, da wurde er wild und erklärte, die Briefe dürften nicht vernichtet werden, die müsse er ihr, die seine Muse gewesen war, selbst zurückbringen. – "So tu's!" rief ich, "bring ihr die Briefe und sag: Es ist aus; sei ein Mann und sag: Es ist aus und vorbei, ich heirate." – Er versprach's – hat auch gewiß in dem Augenblick die besten Vorsätze gehabt, das heißt, daß er geholfen hat, den Weg zur Hölle pflastern. Ist auch von der Aglaja zurückgekommen wie ein getaufter Pudel.

Bald darauf finde ich ihn ausgestreckt auf dem Ruhebett, und er hat ne-ben sich auf dem Tisch einen offenen Brief liegen. – "Von wem denn schon wieder?" fragte ich. – "Von meiner Braut." – "So? Hat sie geschrieben, die Wonne, die Sonne?..." Da wird euch sein Gesicht ellenlang und seine Miene essigsauer, und er gibt dem Blatt einen Schneller, daß es bis zu mir hinübergleitet, und seufzt, als ob ihn ein schweres Unglück getroffen hätte: "Unorthographisch."

Ich konnte nicht umhin auszurufen: "Gott sei Dank dafür!" und nehme den Brief und lese ihn, und es ist ein solcher Schatz von einem unschuldi-gen liebreizenden kindlichen Brief, daß mir das Herz hüpft, der neuen Ku-sine entgegen. – "Du hast ja heute reisen sollen", sage ich; und er: "Ich habe geschrieben, daß ich erst am Hochzeitstage komme; sie sollen nur alle Vor-bereitungen treffen."

Nun, wie ich das höre, da steigen mir die Grausbirnen auf. Weil ich ihn aber kenne und seinen Stütz nicht reizen will, tue ich nichts dergleichen, sondern bemerke einfach: "Und wenn dir unterwegs der Wagen bricht o-der wenn dir ein Pferd ausspannt, was dann?" Er schweigt und schaut mit seinem hochmütigsten Blick zum Fenster hinaus, und mir läuft die Galle über, und ich schreie ihn an: "Schreib doch lieber ganz ab!" – "Du weißt recht gut, daß ich nicht mehr aus kann", entgegnet er, "werde schon zur rechten Zeit dort sein. Sie erwarten mich gar nicht vor der letzten Stunde."

"Aha", versetzte ich, "die Braut muß am Altar stehen, dann wirst du erscheinen wie der Prinz im Feenmärchen – wirst du?" – Keine Antwort. Der Mensch versinkt wieder in seine träumerische Stummheit und erhaben sein sollende Ruhe.

Glaubt mir, wenn es damals wie jetzt auf eine Tagereise von meinem Gut ein Telegraphenamt gegeben hätte, aufs Pferd würde ich mich geworfen haben, hingeritten wäre ich und hätte auf eigene Gefahr nach Folt depeschiert: "Unvorhergesehene Hindernisse, Ankunft zweifelhaft, Brief folgt." Aber damals, da war es so bei uns, daß der Postmeister von Türsdorf, wie ich zum erstenmal das Wort Telegraph vor ihm ausgesprochen habe, der Meinung gewesen ist, das sei etwas Eßbares.

Eine gräßliche Woche vergeht; der Tag, an dem der Franz durchaus hätte reisen müssen, um noch knapp zurechtzukommen, ist da, und wieder finde ich ihn auf seinem vermaledeiten Lotterbett, dieses Mal mit Eisumschlägen auf den Kopf. Wie eine kranke Schlange wand er sich: "Ich kann nicht fort, Bruder, ich kann nicht! Sie stirbt, meine Muse stirbt, wenn ich gehe, es ist ihr Tod!" – So winselt er... "Bruder, fahre du hin, entschuldige mich, sage der guten Kleinen, es war ein Irrtum, ich habe mich übereilt. Nein, sage ihr, ich habe mich besonnen – ich verdiene sie nicht!"

Von jeher habe ich gewußt, daß ich ein heftiger Mensch bin und rauh von Natur. Die Wut aber, die in dem Augenblick bei mir losgebrochen ist, deren hätte ich mich nicht für fähig gehalten. "Weißt du", sag ich ihm, "du bist doch ein miserabler Kerl", sag ich ihm... "Und wenn du noch einen meiner Namen führtest, aber du führst beide, und ein schlecht Unterrichteter kann glauben, daß von mir die Rede ist, wenn jemand sagt: Franz von Bauer heißt die Kanaille!" So rase ich, der Zorn umnebelt meinen Geist, trotzdem aber steht es klar vor mir, daß mit dem elenden Waschlappen von einem Menschen nichts anzufangen ist und daß ich nur gleich meine sieben Zwetschen zusammenpacken und davonkutschieren muß.

Ein paar Stunden später bin ich auf der Reise gewesen und bin gefahren mit der Post, mit dem Bauer, mit allem, was mir den Wagen vom Fleck gebracht hat – er war zum Glück neu und gut –, bin gefahren vom äußersten Nordosten des Landes bis zum äußersten Südwesten, Tag und Nacht, in der linken Hand die Geldkatz, in der rechten die Peitsche... Herrgott im Himmel! nur einen Tag einbringen, einen einzigen, damit die armen Damen wenigstens den Hochzeitsgästen absagen und die Musikanten nach Haus schicken können. – Das habe ich erreichen wollen. Ist mir aber nicht geglückt... In der Geldkatz haben die letzten Muttergottes-Zwanziger gescheppert, von der Peitsche war das Schmißl abgehauen, und der einunddreißigste August hat mich noch auf dem Weg gefunden.

Kinder! Keinem von euch wünsche ich, daß er sich einen Begriff davon machen könne, wie mir war, als ich beim Dorfe Folt ankomme und den ersten Böllerschuß höre, der mich begrüßt... was – mich! den Bräutigam, den sein sollenden – und ich dahinfahre unter dem ersten Triumphbogen und die ganze Bevölkerung im Sonntagsstaat auf den Beinen ist. Vom Kirchturm bimmelt Glockengeläute, vor dem Herrenhause stehen Wagen an Wagen, Menschen an Menschen, und auf dem Balkon schimmert's blau und rosenfarbig vor lauter Kranzeljungfern. Und ein so donnerndes Hurra empfängt mich, als ich in den Hof hineinfahre, daß mein Geschrei: "Ich bin's nicht! Stillgeschwiegen! – Ich bin's nicht!" geradesoviel Wirkung macht wie das Stöhnen eines Verwundeten im Schlachtgewühl. Eine Unzahl Hände streckt sich mir entgegen, mir aus dem Wagen zu helfen... Ich stoße alle fort und rufe einem alten Diener zu, der dasteht mit schlotternden Knien und wackelndem Kopf und dem Tränen des Entzückens und der Rührung über die Wangen laufen: "Führe mich zur gnädigen Frau. Ich muß mit ihr sprechen unter vier Augen." – "Bitte, bitte!" stammelt er und macht noch Zeremonien wegen des Vortritts. Das war, sag ich euch, zum Teufelholen.

Nun, der alte Mensch geleitet mich in ein Zimmer, einfach, solid; an der Wand ein großer Schreibtisch wie von einem Amtmann, drüber ein Kruzifix. Da warte ich kaum eine Minute. Eine hohe Gestalt tritt ein – klösterlich gekleidet, streng, majestätisch. Stutzt nicht einmal bei meinem Anblick, zieht nur die Brauen finster zusammen, als ich mich nenne, und wird nur bleicher, während ich ihr kurz und bündig melde, wie die Sachen stehen.

"Und was gedenken Sie jetzt zu tun, Herr von Bauer?" fragt sie.

"Das weiß ich nicht, Gnädigste", antworte ich.

Sie richtet die Augen auf das Kruzifix, ich glaube, daß sie gebetet hat.

Dann wendet sie sich wieder in ihrer steinernen Hoheit zu mir und fragt: "Sind Sie verheiratet?"

"Nein, Gnädigste."

"Ist Ihr Herz frei?"

"Ja, Gnädigste."

"Sie haben gegen kein weibliches Wesen Ihres oder eines anderen Standes irgendwelche bindende Verpflichtung?"

Ich mußte lächeln.

Eine bindende Verpflichtung – ich! Ich hatte nie eine Liebschaft gehabt und mit den Weibern überhaupt so wenig als möglich zu tun. Sie verdienen keinen Respekt, meinte ich damals, und fühlte höchstens Mitleid mit ihnen, wenn ich sah, wie sie dem Franz nachliefen, an dem ja gar nichts war, einzig und allein wegen seines hübschen Gesichtes und seiner verdammten Versschmiederei.

Ich mußte also lächeln und verneinte.

Die Dame sah mich mit Augen an, mit Augen, wie ich vorher keine gesehen hatte und nachher keine gesehen habe, Augen, die Herz und Nieren prüfen, dann sagte: "Sie sind brav und redlich."

Ja – Sie sind! sagte sie und nicht, wie es doch natürlich gewesen wäre: Ich halte Sie für brav und redlich.

Noch einen Blick nach dem Kruzifix, noch ein Stoßgebet, und sie sprach: "Der gute Name meiner Nichte fordert, daß meine Nichte heute mit Herrn Franz von Bauer vor den Traualtar trete."

"Fordert? würde fordern", versetzte ich – "es gibt leider kein Auskunftsmittel."

"Es gibt eines, Herr von Bauer, ein gefährliches allerdings... Herr von Bauer, wollen Sie verhindern, daß ein unbescholtenes Mädchen Schmach erfahre durch ein Mitglied Ihrer Familie?"

"Gott weiß, daß ich's verhindern wollte!" rief ich. "Wäre ich sonst hier? Hätte ich mich sonst zum Überbringer der elendesten Botschaft gemacht? Meine Schuld ist es nicht, daß ich zu spät gekommen bin!"

"Nicht zu spät", lautete ihre Entgegnung, "wenn Sie sich entschließen könnten, Ihren wortbrüchigen Verwandten zu vertreten." Da wurde mir schwindelig, und ich fragte: "Am Traualtar?"

Sie erhob die rechte Hand wie aus Wellen von allerlei Spitzenzeug, das um sie herumflutete, und sah mich an. Eine Norne, sag ich euch, eine Sibylle! Ich sag euch – etwas Überirdisches.

"Nur am Traualtar", sprach sie feierlich, ging an den Schreibtisch, schellte und gab dem herbeieilenden Diener Befehl, ihre Nichte zu rufen.

Liebe Jungens, da kam euch ein Kind herein, ein Kind im Brautschleier und Myrtenkranz, das holdeste, das die Welt je gesehen, keine Schönheit, etwas tausend- und tausendmal Lieblicheres als eine Schönheit.

Ich habe immer meinen Spaß gehabt an den plötzlichen Verliebungen, die in Romanen und in Theaterstücken vorkommen, und gesagt, mir selbst muß sowas passieren, sonst glaub ich's nicht... Als das Kind im Myrtenkranz hereintrat, da hat mich's gepackt... Versteht mich! Nicht à la Romeo; behüt der Himmel! in viel sanfterer Manier, aber mit einer großen Macht... Wo ist denn nur geschwind eine Gefahr, aus der ich dich retten könnte? – Das war mein Gefühl. Eine ungemeine Verlegenheit dazu, wegen meiner bestaubten Stiefel und Kleider, und die bestürzte Frage: Wie seh ich aus? Das Kind, heiter wie das Sonnenlicht, dankt meinem tiefen Gruße und sagt zu mir: "Wo ist Herr Franz?" und zur Tante: "Das ist der gute Vetter, nicht wahr? von dem er uns so oft erzählt hat." Die Tante nickt, führt mich einige Schritte weiter und flüstert: "Nun?" – und ich antworte: "Oh – was mich betrifft – aber sie – wird sie denn wollen?"

"Meine Nichte hat keinen Willen", erwiderte die Gnädigste und gibt dem Diener – es ist immer derselbe Alte, der kein Ende finden kann mit Flennen – Befehl, den Herrn Bräutigam auf sein Zimmer zu geleiten und ihm behilflich zu sein beim Ankleiden.

Es war mein Glück, daß ich mir einen anständigen Anzug mitgebracht hatte, und während ich mich wasche und mir die Haare bürste, nimmt der Alte meinen Frack aus dem Koffer, drückt ihn an seine Brust und weint, daß mir bange wird, der sammetene Kragen könne Spiegel kriegen.

"So ein Engel, gnädiger Herr! und ich habe ihre Mutter – und die war auch schon so ein Engel – auf diesen meinen Armen getragen... Und seien der gnädige Herr gut mit dem Engel; wir alle, wir haben ihm unsere Hände unter die kleinen Füße gelegt... Und die Allergnädigste sind wie eine Königin in ihrem Reich, aber weiches Wachs in den Fingern der kleinen Alma."

"So?" entgegne ich und lebe auf, denn wie die Gnädige gesprochen hatte: Meine Nichte hat keinen Willen, ist sie mir vorgekommen wie Iwan der Schreckliche und ich mir wie sein gehorsamer Henker. – "So hat die Kleine doch einen Willen?" Der Diener geriet in Bestürzung und stotterte: "Willen, halten zu Gnaden, das nicht, wie sollte sie? – einen Willen hat sie nicht." Ich wandte mich von dem alten Esel ab und hörte nicht mehr auf sein Geplapper.

Eine volle Stunde verging. Die Kleine wehrt sich, hoffte und – fürchtete ich, die Kleine macht Gebrauch vom Recht des Schwachen, vom Recht, nein zu sagen. Das Jubilieren der Gäste, denen man vermutlich brav einschenkte, um ihnen die Wartezeit zu versüßen, drang zu mir herüber. Die Glocken begannen mit erneuerter Kraft zu läuten, an der Tür pochte es. Ein Geistlicher von kleiner Statur und klugem Aussehen näherte sich: "Unsere Allergnädigste", sprach er mit leiser, etwas heiserer Stimme, "beliebten mir mitzuteilen, daß Euer Hochwohlgeboren in der Eile der Abreise einige Ihrer Dokumente zu Hause vergessen haben, aber hoffentlich doch nicht alle."

Ich hatte meinen Paß, und damit Punktum. Den reichte ich dem geistlichen Herrn. Er nahm ihn in genauen Anschein und sagte: "Das ist ja gut. Was noch fehlt, werden Euer Hochwohlgeboren die Gnade haben nach der Vermählung herbeizuschaffen."

"Vermählung? – So ist Vermählung?" Der Geistliche überhörte meinen unwillkürlichen Ausruf. – "Unsere Allergnädigste", fuhr er fort, "die nicht mehr Zeit hat, das Geschäftliche noch einmal mit Euer Hochwohlgeboren durchzusprechen, läßt Euer Hochwohlgeboren durch mich in Erinnerung bringen, daß Fräulein Nichte keine Anwartschaft auf die Herrschaft Folt besitzt, diese vielmehr nach dem Ableben der Allergnädigsten laut getroffener testamentarischer Verfügung in das Eigentum der Kirche übergeht. Hingegen erhalten Fräulein Nichte als Heiratsgut von hochdero Frau Tante ein Geschenk von fünfzigtausend Gulden Konventionsmünze, das nach geschlossener Trauung Euer Hochwohlgeboren übergeben werden wird."

"Hat gar keine Eile", antwortete ich und verließ, von dem Pfäfflein geleitet, das Zimmer.

Notabene: Hier pflegte unser verehrter Gönner und Freund eine Pause zu machen, und ich pflegte ihm meine Dose hinzureichen, lediglich als Zeichen der Hochachtung, sintemal er eigentlich kein Schnupfer war. Und er, aus Artigkeit, nahm eine Prise, hielt sie eine Weile zwischen den Fingern, sagte plötzlich: "Aha!" und deponierte sie in das Markenkästchen des Nachbars oder in sein eigenes. "Kinder", rief er, "wo sind wir?" Und einer von uns antwortete: "Auf dem Weg zur Kirche."

"Ja, ja, zur Kirche!" Und regelmäßig wurde bei der Stelle der alte Herr ganz weich und bewegt und fuhr also fort:

Zur Kirche, zwischen Bäumen, über gestreute Blumen wandere ich, neben mir zwei rosenfarbige Fräulein und vor mir die Kleine, die Weiße, im Myrtenkranz und Brautschleier.

Ringsum ein Menschengedränge, in dem es dumpf und leise und gleichsam ehrerbietig wogt. Keine Stimme ist laut als die eherne der Glocken... Und auch die verstummt – ich steh vor dem Altar, und an meiner Seite steht die Braut. Ich wünschte innig, daß sie sich ein Herz fassen und mich nur ein wenig ansehen möchte, daß ich ihr mit einem Blick hätte sagen können: fürchten Sie sich nicht. Aber sie wandte kein Auge von dem Priester und war mehr einer bleichen jungen Nonne ähnlich als einem lebensfreudigen Mädchen, das einem Manne angetraut wird. Die Rede des Geistlichen dauerte lang, und bei jedem Wort der Ermahnung, das der Kleinen galt, dachte ich: Zuviel! zu hart! – und bei jedem, das mir galt: Das versteht sich ja alles von selbst.

Beim Hochzeitsschmaus bin ich neben ihr gesessen, habe aber mit ihr nicht sprechen können, weil fortwährend Toaste ausgebracht wurden, auf die ich antworten mußte, und weil ich über eine kleine Rede nachsann, die ich selbst zu guter Letzt halten wollte. In dieser sagte ich denn, daß ich kein Flausenmacher sei und eher derb, daß ich jedoch gestehen müsse, ich hätte bei den Hochzeiten, denen ich bisher angewohnt, immer tüchtig geweint – mir ist leid um die Braut gewesen. Sei es, wie es sei; komme, was da wolle; für die Frau ist der Schritt in die Ehe der wichtigere Schritt. Davon aber hat noch keiner, den ich den ehelichen Trauring wechseln sah, etwas wissen wollen, vielmehr jeder sich als Hauptperson bei der heiligen Handlung betrachtet. Als ob es nicht eine kleinere Sache wäre, eine Verantwortung – oft schlecht und recht, und meist nur vor dem eigenen, in dem Punkt gewöhnlich sehr dehnbaren Gewissen – zu übernehmen, als überantwortet zu werden mit Gut (ich dachte an die fünfzigtausend Gulden) und Blut und für das ganze Leben. Daher meine innige Rührung bei jeder fremden Hochzeit, daher auch meine Standhaftigkeit bei meiner eigenen. Die Jungfrau, welche heute vertrauensvoll ihre Hand in die meine gelegt, befände sich nicht in dem eben von mir angeregten Fall – ich wisse, wer von beiden, Mann oder Frau, mehr riskiert bei der Schließung eines unlösbaren Bundes. Und so, wie sich ein Starker, der wenig wagt, einem Schwächeren gegenüber, der viel wagt, zu benehmen hat, so werde ich mich allzeit meiner Gemahlin gegenüber benehmen.

Ein großer Jubel, besonders von seiten der Damen, belohnte diese meine Erklärung. Die Gnädigste erhob sich von ihrem Platz und umarmte mich vor der ganzen Gesellschaft. Nach der Tafel gab es feierliche Aufzüge der Dorfbewohner, glückwünschende Deputationen aus den nächsten Ortschaften und endlich Ball vor dem Haus, unter Gottes freiem Himmel, bei Mondenschein und Sternenschimmer, und Ball im Haus unter den Kronleuchtern bei Kerzenglanz. Eine Polonaise eröffnete ihn, bei welcher mir die Auszeichnung zuteil wurde, mit der Gnädigsten, die ihre Fingerspitzen auf meinen Arm legte, die Runde um den Saal zu machen. Den ersten Ländler tanzte ich mit der verehrten Kleinen. Bis tief in die Nacht dauerte das Fest, und nachdem der letzte Gast sich bei uns empfohlen hatte, empfahlen die Gnädigste und ihre Nichte sich bei mir.

Und ich sage euch, liebe Freunde, ich habe gut und sanft geschlafen und angenehm geträumt, und zwar von der Kleinen. Wir gingen miteinander spazieren daheim in meinem Garten, und ich hielt sie umschlungen, und sie sprach zu mir: "Das war ein Irrtum, das mit dem andern Franz. Du bist der Rechte – du!"

Ein Mensch, der mir die Hand küßte, weckte mich – der Alte, der heute viel weniger ängstlich tat und mich in schmelzendem Tone ersuchte, ich möge geruhen, mich ankleiden zu lassen und mich dann zum Frühstück zu begeben zu der Allergnädigsten und zu meiner jungen Gemahlin. Das letztere hatte er mit einem für den Scherz um Verzeihung bittenden untertänigen Bückling hinzugesetzt. Ich gab ihm einen leichten Schlag auf den gekrümmten Rücken und sagte: "Was nicht ist, kann werden", worauf er mit freundlichem Ernst erwiderte: "Das walte Gott!" und mir wieder die Hand küßte. Dieser alte Mensch ist mein getreuer Anhänger geblieben während der ganzen Zeit, die ich noch in Folt zugebracht habe, hat mir auch manchen nützlichen Wink gegeben und mir manches Licht aufgesteckt, das meinen sehr nebeligen Pfad freundlich erhellte. So zum Beispiel erfuhr ich durch ihn, daß die Gnädigste, als Franz sich um Fräulein Alma bewarb, an einen Gewährsmann in unserer Nähe geschrieben und sich bei ihm nach Herrn Franz von Bauer erkundigt hatte. Infolge eines Irrtums in ihrem Briefe mußte besagter Gewährsmann meinen, die gewünschte Auskunft beträfe mich, und auf meinen Leumund hin hat Franz das Jawort erhalten. Was die Repräsentation anbelangt, die verstand er, und die Gedichte haben auch ihren Effekt gemacht. Von einer Neigung des Kindes zu ihm fand ich keine Spur, und ihr könnt euch denken, wie ich darauf aus war zu erfahren: Hat sie ihn liebgehabt, die Kleine, hat sein niederträchtiges Benehmen sie empört? und schließlich: Welches Mittel hat die Gnädigste angewendet, um sie zu bewegen, mir zum Altar zu folgen?

Die Lösung des Rätsels war einfach – die Kleine war eben ein Kind; ahnungsvoll und doch gedankenlos, verwöhnt und doch willenlos. Willenlos! der einzige dunkle Punkt in der Sache... Wenn ich fragte: "Beliebt es Ihnen spazierenzugehen?" Ja, es beliebte ihr. "Beliebt es Ihnen zu Hause zu bleiben?" Es beliebte ihr gleichfalls. "Täten wir nicht besser auszureuten?" Gewiß, wir täten besser.

Eines schönen Morgens wanderten wir zusammen im Wald herum. Und sie war euch so herzig in ihrer sanften und aufmerksamen Heiterkeit. Merkte alles, wußte genau, daß hier zwischen den weggescharrten Blättern Rehwild gerastet und daß sich dort im aufgewühlten Boden ein Hirsch niedergetan. Scharfsichtig wies sie hin auf die Spuren der Wilddiebe und entdeckte sie an den Bäumen böswillig befestigte Vogelschlingen, gleich heraus mit dem Taschenmesserchen und fort mit ihnen. Ich, ich stand neben ihr und bewunderte sie; keine Sprache spricht es aus, wie gut sie mir gefiel. Fräulein sagte ich nicht mehr zu ihr, sondern einfach Alma, aber immer noch Sie. Damals im Walde kam mir dieses Sie so dumm vor, daß ich sie frischweg fragte: "Alma, wollen wir nicht du zueinander sagen?"

Sie war eben mit dem Wegtilgen einer Vogelschlinge fertiggeworden, steckte ihr Messerchen ein, machte mir einen kleinen Knicks und erwiderte: "Wenn Sie erlauben."

"Ich bitte darum!" rief ich heftig.

Sie erschrak, wurde rot, sah sich um wie nach Hilfe und stammelte: "Sie haben zu befehlen."

"Ich werde dir nie etwas befehlen, Alma, am wenigsten in dieser Hinsicht", versetzte ich so ruhig, als mir möglich war bei meinem Naturell.

"Nie etwas befehlen?" wiederholte sie und brauchte ein paar Minuten, um sich von ihrer Verwunderung so weit zu erholen, daß sie die Erklärung abgeben konnte: "Ich werde Ihnen aber doch gehorchen."

"Ihnen?"

"Dir... Oh, verzeihen Sie: dir."

Mit welcher Angst sie das sagte, könnt ihr euch nicht vorstellen, und mein Entsetzen über diese Angst auch nicht.

Sie vergaß noch sehr oft, mir du zu sagen, und geriet darüber jedesmal in große Bestürzung und Reue. Ich gab mir Mühe, einen Spaß aus der Sache zu machen, aber es wollte mir nicht recht gelingen. Zu tief verdroß mich das unglückliche Sie, das ihr von selbst auf die Lippen kam; zu wenig freute mich das zögernde Du, zu dem sie immer erst einen Vorsatz fassen mußte.

Kindisch! kindisch! Wer wußte das besser als ich, wer hätte verstanden, mir so tüchtig die Leviten zu lesen, wie ich selbst es tat? Aber von Tag zu Tag wurde meine Neigung zu der Kleinen inniger und wärmer und ebenso der Wunsch, daß sie Zutrauen zu mir gewinne, wenn schon kein anderes, doch ein solches wie zu einem älteren Bruder. Deshalb verfehlte ich's meistens und war, zu meinem eigenen Schaden, bitter und grämlich. Und an dergleichen war die Kleine nun gar nicht gewöhnt. Geführt werden auf Tritt und Schritt, nach Pflicht und Vorschrift fühlen, denken, atmen, geleitet werden wie ein Maschinchen, o ja! aber wohlgemerkt, ohne ein rauhes, womöglich ohne ein lebhaftes Wort.

Die Gnädigste hatte ein scharfes Auge auf mich, und der geistliche Herr, der mir am Hochzeitstage meine Papiere abgefordert, gleichfalls, und *detto* noch einige andere geistliche Herren, die im Hause ein- und ausgingen. Ich sah wohl, daß sie mich beobachteten, aber ich dachte: Nur zu! Wie ich bin, so bin ich. Müßte übrigens lügen, wenn ich behaupten sollte, daß sie mir das geringste in den Weg gelegt haben; bin vortrefflich mit ihnen ausgekommen. Glaube auch, daß die Gnädigste ihrem Rat Folge geleistet hat, als sie mir nach Verlauf von ungefähr sechs Wochen eröffnete, wenn es mir angenehm wäre heimzureisen, wolle sie mich nicht länger aufhalten.

Es würde sich nicht für mich schicken, die Komplimente, die sie mir damals gemacht hat, zu wiederholen. Als sie jedoch mit ihnen fertig war, sagte sie: "Das Walten einer gnädigen Vorsehung über meinem Hause hat sich mir stets geoffenbart; niemals jedoch so sichtbarlich wie in dieser letzten Zeit, bei der letzten weltlichen Angelegenheit, die zu bestellen mir noch auferlegt war. Gott hat meine Ziehtochter einer großen Gefahr entrückt, in welcher sie untergegangen wäre ohne seine Dazwischenkunft. Statt des Unwürdigen, an den ich im Begriffe stand sie zu vermählen, hat er einen ihrer würdigen Lebensgefährten, hat er Sie gesandt. Lieber Sohn" – zum ersten Male nannte sie mich so -, "Sie haben Alma aus der Hand der Kirche empfangen: empfangen Sie Ihre Frau jetzt aus der meinen und meinen mütterlichen Segen und Glückwunsch dazu."

"Alles wohl und gut, Gnädigste", entgegnete ich, "aber die Hauptsache fehlt."

Sie sah mich steif und groß an: "Wieso?"

"Das Herz der Kleinen hat noch nicht ja gesagt."

"Ihr Herz! Haben Sie nicht ihren Schwur vor dem Altar? Ihr Herz? Wo ihre Pflicht ist, da ist ihr Herz."

Dieses schöne Wort rührte mich nicht, schien mir vielmehr eines von denjenigen zu sein, mit welchem die Schwärmer sich aus der Verlegenheit helfen und ihrer eigenen Empfindung ein X für ein U vormachen. Aber froh war ich, von der Gnädigsten und ihrem Anhang das Absolutorium erhalten zu haben, und traf mit Almas Einwilligung – daß Gott erbarm, die Einwilligung einer Willenlosen! – meine Reisevorbereitungen.

Der Abschied der Kleinen von ihrem Zuhause und von jedem einzelnen Hausgenossen war schwer. Nie wieder habe ich so viele Weinende auf einem Fleck beisammenstehen gesehen wie an jenem Tage. Das Bild der Gnädigsten, die uns noch vom Balkon aus mit erhobenen Händen und zum Himmel gerichteten Blicken segnete, wird mir unvergeßlich bleiben. Den alten Diener hätten wir gern mitgenommen, und er wäre gern mit uns gegangen, fühlte sich aber zu gebrechlich zur Reise und mochte uns keine Ungelegenheiten verursachen. – "Sterben muß ich", sagte er zu seiner kleinen Herrin; "da ist's schon besser, ich sterbe hier in der Heimat aus Sehnsucht nach Ihnen als dort bei Ihnen aus Sehnsucht nach der Heimat." Einige Monate später haben wir denn auch die Nachricht seines Todes erhalten.

Es versteht sich von selbst, daß ich längst an meine Leute geschrieben und Befehl gegeben hatte, den Garten und das Schlößchen so gut als nur möglich zum Empfang der Gebieterin herzurichten. Da war fast mehr geschehen, als ich gewünscht hatte, aber zu meiner Verwunderung keine einzige Ungeschicklichkeit, und auch im größten Jubel der festlichen Begrüßung kam keine von den Derbheiten und plumpen Anspielungen vor, die einem neuvermählten Paar von einer getreuen Landbevölkerung sonst nicht erspart werden und die bei uns am wenigsten am Platz gewesen wären. Als ich meinen Wirtschafter herzlich belobte, tat er zuerst geheimnisvoll und gestand sodann, der Herr Franz von drüben sei in der verwichenen Woche täglich dagewesen, habe alle Vorbereitungen geleitet, aber dringend aufgetragen, mir nichts von seiner Einmischung zu verraten. Und gestern war er abgereist, und niemand wußte wohin, und hatte sehr übel ausgesehen und so aufgeregt, daß jedem um ihn bange geworden.

Was soll das wieder heißen? fragte ich mich und ging ernstlich mit mir zu Rate, ob ich mit der Kleinen von ihm sprechen sollte oder nicht. Bevor ich aber zu einem Entschluß kam, hatte ich nicht mehr nötig, einen zu fassen. In der Gegend wurde allgemein bekannt, daß der Franz seiner treulos gewordenen Muse nachgefahren war, sie in der Nähe von Vatra-Dorna in der Bukowina eingeholt und den Begleiter, in dessen Gesellschaft sie an den Ufern der goldenen Bistriza lustwandelte, herausgefordert hatte. Dies mußte in einem jener Anfälle blinder Wut geschehen sein, denen der Sklave seiner Impulse unterworfen war, und mit großer Übereilung und ohne Beachtung der üblichen Formalitäten hat das Duell stattgefunden. Die Gegner sollen (ich glaube es heute noch nicht) zugleich geschossen haben. Einer war maustot auf dem Platz geblieben, der andere, der Franz, hatte eine Kugel in die Hüfte bekommen und wurde in jammervollem Zustand heimtransportiert.

Ich befand mich im Garten mit der Kleinen, als ein Reitender daherjagte und mir meldete, es gehe zu Ende mit dem Herrn Franz, und er wünsche mich noch einmal zu sehen. Das hört die Kleine, verfärbt sich und sagt: "Oh, der arme Herr Franz! der Arme! Komm, fahren wir gleich zu ihm."

Wir, sagte sie, und, denkt euch, mir gefiel's, daß sie es so frank und frei und natürlich aussprach. Erst später fanden sich Skrupel bei mir ein, und auf dem Wege zum Sterbebett meines nächsten Anverwandten dachte ich nicht an ihn, sondern fortwährend an das junge Wesen neben mir und fragte mich voll Herzensangst: Was mag sie fühlen? Was geht in ihr vor?... Und nie war es mir so sehr aufgefallen wie damals, um wieviel schöner das Gut des Vetters doch lag als das meine. Schöner, romantischer, eine grüne Zunge im Gebirgsrachen.

"Bemerkst du, Alma, wie hübsch diese Gegend ist?" sagte ich zu ihr, und sie antwortete: "Ich habe nichts bemerkt, ich bin zu sehr in Sorgen um den armen Herrn Franz."

"So hast du ihm verziehen?"

"Was denn?"

"Nun", rief ich, "wenn du fragen kannst!"

Sie lächelte mich an mit ihren klugen, klaren, unschuldigen Augen. "Ach freilich", sagte sie. Wir fanden ihn schwach zum Auslöschen und trotz seiner zahlreichen Dienerschaft schlecht versorgt und verpflegt. Es war wirklich nichts zu tun, als dazubleiben und sich seiner anzunehmen. Ist denn geschehen und er langsam genesen und nach seiner Genesung in meinem Hause oft ein- und ausgegangen wie in der früheren Zeit.

Die Kleine war mit ihm viel unbefangener als mit mir, und wenn er etwas sagte, was ihr nicht gefiel, widersprach sie ihm ohne Umstände. "Widersprich auch mir einmal!" bat ich sie.

"Dir nie!" war ihre rasche Antwort; sie besann sich ein Weilchen und wiederholte mit heiligem Ernst: "Dir nie!" Es kam vor, daß sie ganz plötzlich und ohne Grund meine Hand ergriff und küßte, und das war mir das Ärgste – so ein kindlicher Handkuß.

Nicht immer habe ich mich überwinden und schweigen können, ich habe sie leider nicht selten angefahren: "Wofür bedankst du dich?" Oder gar: "Bittest um Verzeihung?" Aber dann – ihr Entsetzen! und meine Verzweiflung... Um tausend Meilen zurückgeworfen von meinem Ziel – das hatte ich davon. Herrgott! was für ein plumper Bengel bin ich euch gewesen, und was war sie für ein holdseliges Mädchen – holdselig! Wie kein zweites paßte dieses Wort auf sie. Dabei war sie aber auch ganz klug und vernünftig, wartete ruhig und emsig im Hause, konnte nicht einen Augenblick müßig bleiben. Denkt euch nicht etwa eine träumerische Romanprinzessin, die nicht imstande ist, Gerste von Weizen zu unterscheiden, und immer in höheren Regionen schwebt. Davon keine Spur. So gut wie im Walde kannte die Kleine sich unter den Ähren der Felder, den Blumen der Wiesen aus und fühlte sich recht daheim auf der Erde, deren lieblichstes Kind sie war... Und wenn ich sie auch hie und da barsch anließ, mein höchstes Kleinod ist sie doch gewesen, und ich habe sie gehütet und gehegt mit mehr Liebe, als ich ihr zu zeigen wagte, denn ihre Nähe schüchterte mich sehr ein. Sie war ja die erste junge Frau, mit der ich jemals in täglichem Verkehr gestanden habe. Übrigens ging es ihr nicht schlecht bei mir; ihre früher so blassen Wangen färbten, ihre zarte Gestalt kräftigte sich, und Augenblicke gab es, in denen mir vorkam, als erwache in der aufblühenden Jungfrau – das Weib.

Der Franz hat sich – in seiner Weise natürlich – musterhaft benommen. Ein gewisses Kokettieren konnte er allerdings jungen hübschen Frauen gegenüber nicht lassen. – Es war seine Natur, es kam ihm unbewußt, im Schlaf, wie ihm seine Gedicht kamen. Diese verfluchten Gedichte, um die ich mich sonst nicht gekümmert hatte und die mir jetzt soviel zu denken gaben, weil sie der Kleinen gefielen. Sie waren hübsch, und merkwürdigerweise, dieser Mensch, der eitel war auf seine Augen, auf seinen Schnurrbart, seine Nägel – auf sein Bestes, eben die Gedichte, war er's nicht. Hat sie nie gesammelt, nie drucken lassen; aber sie leben, viele von ihnen leben im Munde unseres Volkes. Es sind lauter Liebeslieder, Mädchen und Bursche singen sie, ich habe es oft gehört und mit Vergnügen.

Als jedoch eines wonnigen Sommerabends die Kleine anhob, eines dieser Lieder zu singen mit ihrer wunderbaren Stimme, dem tönenden Schlüssel zu allen Geheimnissen meiner Brust, da faßte mich ein heißer Zorn, und von der Stunde an war ich eifersüchtig... Verachtete mich darum und war's, und alles, wovon mein Verstand mir riet: Das solltest du nicht tun, nicht sagen – das tat ich, das sagte ich. Und so kindisch machte mich die törichtste von allen Leidenschaften, daß mir, dem praktischen Mann, nichts wünschenswerter schien, als nur eine Stunde lang ein Dichter sein und ein Lied erfinden zu können, ein Lied, das zum Herzen geht. Einige Strophen sollte es haben und nach jeder derselben den Schlußreim bringen: Du Meine und nicht Meine!

Umsonst zerbrach ich mir den Kopf, der Schlußreim war da – die Strophen wollten mir nicht einfallen.

Aus diesen poetischen Anwandlungen wurde ich durch die nüchternste Prosa gerissen. Eine Seuche war bei uns unter dem Geflügel ausgebrochen und lockte Zigeuner herbei, die das gefallene Vieh ausgruben und aßen. Ich wollte den Unfug nicht dulden, paßte den Leuten auf, und wo ich einen auf frischer Tat erwischte, packte ich ihn zusammen und ließ ihn aus dem

Dorfe jagen. "Unglaublich", meinte Franz, "daß du dich darum kümmerst, ob sich das Gesindel die Pest an den Hals frißt."

Ich war just besonders bärbeißig und rief: "Es kümmert mich, und ich duld's einmal nicht!" und bemerkte, daß Franz und die Kleine einander so ansahen, wie zwei tun, die von einem Dritten denken: ja, so ist er, der Mensch! Und zum Unglück muß die Kleine sagen: "Laß die Zigeuner gewähren, sie sind bös und werden uns noch etwas antun."

Immer hatte ich sie aufgefordert: Rede, sprich deine Meinung aus; nun tat sie's einmal – oh, hätte sie es lieber nicht getan! Alles würde anders gekommen sein, ich hätte der glücklichste Mensch werden können... Aber, daß sie ihm recht und mir unrecht gab, das reizte mich blinden Maulwurf, der ich war!... Und wie zum Trotz übte ich schärfer denn je meine polizeiliche Gewalt aus. Einige Zeit darauf – wir hatten den siebzehnten Geburtstag der Kleinen gefeiert und saßen auf dem Balkon beim Abendessen –, da wirbelte uns gegenüber im Tal, so auf ein Halbtausend Schritte, eine Rauchsäule in die Höhe... Franz streckte den Arm aus und sagte: "Die Zigeuner lassen sich empfehlen!"

Hol mich der Teufel, die alte Scheuer brannte. Eine Baracke, um die mir nicht leid gewesen wäre, hätte sie nicht voll Heu gesteckt.

Wir laufen in den Meierhof. Dort spannen sie schon die Feuerspritze ein, und mein Wirtschafter steht dabei und ruft mir entgegen: "Brennt wie ein Span, die Scheuer! Ist nichts zu machen!"

Ja, so gescheit bin ich auch; aber um das Arbeiterhaus in der Nähe, um das ist mir's zu tun. – Mein Wirtschafter steckt den Finger in den Mund, zieht ihn naß heraus und hält ihn an die Luft: "Nichts zu machen. Der Wind bläst alles hinüber." Nun, ich ruf: "Vorwärts!" spring auf die Spritze, der Franz mir nach, und der Knecht jagt, was er kann, den Berg hinunter. – "Warum hast nicht die Schwarzbraun' genommen?" frag ich ihn noch. – "Daß wir früher drüben sind", antwortet er. – "Was hilft's", geb ich zurück, "wenn uns die Rappen vorm Feuer ausreißen?" Und zu gleicher Zeit fliegt mir der Gedanke durch den Kopf: Die Kleine wird sich's doch nicht einfallen lassen, uns nachzulaufen?

Wir sind an Ort und Stelle, die Rappen ruhiger, als ich erwartet hatte; ich kann mich dicht ans Haus aufstellen und die Pferde ausspannen lassen. Die Scheuer brennt lichterloh, jeder Windstoß treibt einen Funkenregen auf das Dach, das ich schützen möchte, so lange wenigstens, bis die Leute ihre Habseligkeiten geborgen haben... Alles ist voll Menschen; die meisten gaffen, einige erweisen sich hilfreich; rein wie besessen stürzt der Franz herum, rettet Sessel, Kissen, Pfannen mit einer Hingebung, als ob es lauter Kinder wären, die er aus den Flammen trägt... Ja, ja, leider schon Flammen... Wasser war in Fülle vorhanden, die Spritze tat ihre Schuldigkeit, reichte aber nicht aus, furchtbar qualmte der Rauch, die Sparren krachten, "Franz", ruf ich, "laß es gut sein!" Und er: "Nichts mehr zu retten?"

"Das Kind vom Schlosser ist vergessen, o Jesus, das Kind in der Wiege!" kreischt eine Tagelöhnerin. – Ich hätte sie totschlagen mögen, und ihn auch – besonders ihn. Weil er keinen angehört, der ihm sagt: Das Kind ist da, ist längst geborgen. Er will nichts, er hat nichts im Kopf, als daß die Leute sein Lob singen sollen vor der Kleinen, daß sie ihr sagen sollen: Oh, welch ein Anblick, wie er aus den rauchenden Trümmern sprang, ein Kindlein in seinen Armen!... Das hat er gewollt, ich kenne ihn den Schwärmer, der nichts umsonst tut, den Unberechenbaren, der immer rechnet. Ich verlier kein Wort, als er zurückrennt, zum allgemeinen Entsetzen, in das brennende Haus. Hinter ihm poltert der ganze Krempel zusammen, aus den Fenstern, aus der Tür bricht die Lohe – lebendig kommt er da nicht heraus... Die Leute in lauter Verzweiflung klagen: "Der gnädige Herr! Gott im Himmel, er ist verloren!"... Weiber werfen sich auf die Knie und beten; Kinder weinen. Ich rufe in den Lärm hinein: "Herum ums Haus mit der Spritze! Nehmt Äxte – wir schlagen die Lehmwand durch!"

Drüben hoff ich noch des Feuers Meister zu werden, bis man ein Loch gebrochen hat, durch das er schlüpfen kann, der Narr. Ein halbes Dutzend Männer springt vor, taucht an. "Mehr rechts!" befehl ich, "sonst geht's in den Graben..." Da war's schon geschehen, und wir stecken... Ich mein aus der Haut zu fahren: "Die Rappen her! die Rappen!"

Es ist ein Gedränge, ein Wechsel von Licht und Dunkelheit; jetzt glüht weithin der grelle Feuerschein, eine Minute später umhüllt mich ein Qualm, daß ich den Schlauch nicht sehe in meiner Hand. Ich höre nur, daß sie die Pferde bringen... Mit Müh und Not, denn jetzt scheuen sich die Luder und schlagen aus... Plötzlich ertönt ein Schrei: "Franz!..." ein unsagbar jammervoller Schrei – das war sie!... Kinder, ich steh im Feuer wie ein Salamander, und vom Wirbel bis zur Sohle wird mir eiskalt... und die Leute sind starr vor Schrecken, und ich spring zur Erde... Da liegt eine weiße Gestalt, da liegt mein Liebstes. – "Tot", sagt jemand neben mir, "daß Roß hat sie geschlagen – ich hab's gesehen."... Einbildung! – nicht tot, nur besinnungslos, denk ich, entdecke auch kein Zeichen von Verletzung an ihr, außer einem einzigen großen Blutstropfen, welcher aus ihrem Munde gequollen ist... Und vergesse alles andere – oder vielmehr mit allem anderen ist's aus – und beuge mich und hebe sie sanft vom Boden auf und bitte die Leute: "Macht Platz, daß ich sie nach Hause tragen kann!" Alle weichen zurück – ein einziger wagt sich heran, ein rauchgeschwärzter, verstörter Mensch (es ist ein Wunder, daß er da ist, aber in dem Moment wundere ich mich über nichts); der Mensch, dem sie nachfliegen wollte ins Feuer wie ein kleiner Schmetterling ins Licht, und ich wettere ihn an: "Aus dem Weg! Du bleibst und machst dich weiter nützlich!" Und der Franz spricht kein Wort und gehorcht. Beim Nachhausegehen ist es mir manchmal vorgekommen, als ob sie atme, die Kleine... Als ich sie in ihrem Zimmer auf ihr Bett legte, blieb sie lange Zeit ganz starr, und wir verzweifelten schon, ihre Dienerinnen und ich. Bis nach Besztercze mußte gefahren werden um einen Arzt, und der konnte im besten Fall am Abend des nächsten Tages bei uns sein. Es war mir recht, als ich hörte, daß der Franz sich's nicht hatte nehmen lassen, das Abholen des Doktors selbst zu besorgen. Nach Mitternacht sank die Kleine allmählich aus ihrer Ohnmacht in einen tiefen Schlaf, ich fühlte unter meinen Fingern das leise Klopfen ihres Pulses, und als ich ihr Händchen betrachtete, das in meiner rauhen Hand lag, tat mir der Kontrast weh. Da saß ich an ihrem Bett, und derjenige, an dem ihr armes törichtes Herz hing, kutschierte draußen auf der Landstraße. Wenn sie erwacht und sieht nur mich, es wird ihr sehr traurig sein. Sie war so hilf- und harmlos und – daran zweifelte ich nicht – so schwer krank... Ein grenzenloses Erbarmen kam über mich; eine größere Liebe, als ich je für sie gehabt hatte, erfüllte meine Seele, und ich tat ein Gelübde: Wenn sie gesund wird, will ich jeden Anspruch auf sie entsagen. Unsere Ehe ist leicht gelöst. Mag sie mit dem leben, mit dem sie sterben wollte. Auf ihn achtgeben und dafür sorgen, daß er keine Dummheiten macht, das soll meine Sache sein, dazu bin ich der Stärkere. Mit diesem Vorsatz steh ich auf von meinem Platz am Fußende ihres Bettes, und wie ich mich über sie beuge – was seh ich? Sie hat die Augen offen und richtet einen unsicheren, fragenden Blick auf mich: "Franz?" sagt sie, und ich antworte: "Er kommt, mein Kind, kommt bald..."

"Wer kommt?... O Lieber!" und auf einmal hebt sie die Arme und schlingt sie um meinen Hals. "Bist du's? fehlt dir nichts? bist da?"

"Jawohl, ich bin da."

"Dann ist alles gut", flüsterte sie, "alles gut, du Bester!" Was hat das zu bedeuten? Ich habe es nicht gleich begriffen und gefragt: "Träumt mein Kind?"

"Nein, ich bin wach."

"Wach – und nennst mich Bester?"

"Weil du's bist", antwortet sie und lächelt mich so zutraulich an wie noch nie. Ich ringe mit der Wonne, die, begleitet von tausend Schmerzen, einziehen möchte in meine Brust. "Jetzt weiß ich, daß du träumst, du Kind. Ich bin ja immer so barsch mit dir gewesen."

"Du? Ach geh!" Ewige Güte! Ach geh, sagte sie – und ich habe mich nicht mehr beherrschen können, ich bin auf meine Knie gesunken und habe ihre Augen geküßt und meinen Kopf neben den ihren auf das Kissen gelegt und mit zitternder Seligkeit gefragt: "Besinne dich, warum wolltest du in das brennende Haus?"

"Nicht ins Haus – nur zu dir, nur dir nach, nur dich abhalten... Aber" – unterbrach sie sich plötzlich – "warum weinst du?" Ihre Augenlider waren schwer geworden, sie lehnte ihr Gesicht an das meine und schlief wieder ein.

Der Arzt kam zur Zeit, um welche ich ihn erwartet hatte. Er sprach von einer inneren Verletzung, er gab keine Hoffnung. Einige Wochen haben wir ihr teueres Leben aber doch gefristet. Sie hat wenig gelitten und bis zum letzten Augenblick die feste Zuversicht auf ihre baldige Genesung bewahrt. An ihrem Sterbebett ist keine Träne geweint worden; ich habe jeden, der seine Rührung nicht zu unterdrücken vermocht hätte, ferngehalten – und auch die letzten Tröstungen der Religion. Die Kleine brauchte keine Tröstungen, denn sie hatte keinen Gram, und den meinen verbarg ich ihr. Daß es mir gelang, das war meines Herrn und Gottes wundersames Geschenk. Wer außer ihm hätte mir diese Kraft geben können? Und so hab ich denn alles allein mit ihm abgemacht und mich nicht erschüttern lassen in meinem Glauben, daß ich keinen Frevel beging, indem ich sie unvorbereitet scheiden ließ, die Seele, die zurückgekehrt ist zu ihrem Schöpfer, so rein, als er sie dereinst ins Leben entließ. In meinen Armen, an meiner Brust ist sie oft eingeschlafen, einmal denn auch, um nicht wieder zu erwachen – die Meine und nicht Meine!

Unser verehrter Freund pflegte seine Erzählung mit diesen Worten zu beschließen. Es bedurfte auch für uns keiner Fortsetzung, da wir aus anderweitigen Berichten wußten, daß er auf seinem Gute noch so manches Jahr still und ruhig verblieb. Erst nach dem Tode seines Herrn Vetters Franz von Bauer hörte der Aufenthalt in dortiger Gegend auf ihm angenehm zu sein, und er vertauschte ihn mit demjenigen in unserem Städtchen.